W9-BPK-430

NE[illegible] LIBRARY

MAR - 2009

NEWTON, MASS

WITHDRAWN

CONTEMPORÁNEA

Antonio Skármeta nació en Antofagasta, Chile, en 1940. Estudió Filosofía y Literatura en su país y en Nueva York. Desde 1967 hasta 1973, año en que se instaló en Berlín, impartió clases de literatura en la Universidad de Chile. Desde 1981, vive como escritor, director de cine y de teatro y profesor invitado de numerosas universidades norteamericanas y europeas. Tras muchos años en Alemania, volvió a su país en 1990 y se incorporó al Instituto Goethe de Santiago de Chile. De su producción literaria cabe destacar las novelas *Soñé que la nieve ardía*, *No pasó nada*, *La insurrección*, *La velocidad del amor*, *Match-Ball*, *El cartero de Neruda*, *La boda del poeta* y *La chica del trombón* y los libros de relatos *El entusiasmo*, *Desnudo en el tejado* y *Tiro libre*, todos ellos traducidos a numerosos idiomas y premiados en diversas ocasiones. En 2003 ganó el premio Planeta por su novela *El baile de la victoria*. Ha sido distinguido con el título de Caballero de las Artes y las Letras, otorgado por el Ministerio de Cultura de Francia, así como con una beca de la Fundación Guggenheim y la del Programa de las Artes de Berlín. Su actividad como guionista incluye films como *Reina la tranquilidad en el país* y *La insurrección*, de Peter Lilienthal, y *Desde lejos veo este país*, de Christian Ziewer. Como director de cine ha rodado documentales y largometrajes, entre los que destaca *Ardiente paciencia*, galardonado en los festivales de Huelva, Burdeos y Biarritz, y distinguido con los premios Adolf Grimme Preis (Alemania) y el Georges Sadoul al mejor film extranjero del año en Francia. Antonio Skármeta también ha trabajado como traductor, vertiendo al castellano obras de Mailer, Kerouac y Scott Fitzgerald.

Biblioteca

ANTONIO SKÁRMETA

La insurrección

DEBOLSILLO

Diseño de la portada: Departamento de diseño de Random House Mondadori
Fotografía de la portada: © Benoit Gysembergh/Camera Press, Londres

Primera edición en este formato: diciembre, 2003

© 1982, Antonio Skármeta
© 2001, Random House Mondadori, S. A.
Travessera de Gràcia, 47-49. 08021 Barcelona

Quedan rigurosamente prohibidas, sin la autorización escrita de los titulares del «Copyright», bajo las sanciones establecidas en las leyes, la reproducción parcial o total de esta obra por cualquier medio o procedimiento, comprendidos la reprografía y el tratamiento informático, y la distribución de ejemplares de ella mediante alquiler o préstamo públicos.

Printed in Spain – Impreso en España

ISBN: 84-9793-116-5 (vol. 236/2)
Depósito legal: B. 50.897 - 2003

Fotocomposición: Zero pre impresión, S. L.

Impreso en Novoprint, S. A.
Energia, 53. Sant Andreu de la Barca (Barcelona)

P 8 3 1 1 6 5

Al pueblo de León

Aprovecha de bailar
que te van a pelar
si no vas al cuartel
te vendrán a buscar.

Twist del recluta
de ANDY MACÍA-FICCO,
interpretado por The Ramblers.

1

Cuando Agustín puso la carta en el buzón frente al regimiento, el correo la tramitó con perfecta indolencia. Tres meses más tarde —después que terminara la huelga de transportes, almacenes, obreros, campesinos, empleados, portuarios, mineros, actores, radiodifusores, telegrafistas, poetas, musas, estudiantes, periodistas, bancarios, burócratas y atletas— el funcionario de correos Sublime Salinas frenó su triciclo frente al buzón. Con pericia descargó su contenido en la bolsa de lona y fue rumbeando hacia la oficina. Extrajo la manilla de la puerta desde el bolsillo, la encajó en la cerradura, y al sentir el irritante chirriar de las bisagras se propuso por centésima vez en ese año agenciarse lubricante con su compadre Plutarco. El boquete en el techo se veía imponente y la palangana sobre la clasificadora de correspondencia había sido generosamente desbordada por la lluvia. Con la manga del delantal frotó el barro de su cubierta y sólo entonces volcó la bolsa de lona. Al observar el contenido, se explicó una vez más la miseria de su salario. En un país en que el sesenta por ciento eran analfabetos, escribir una carta era considerado snob. En su oficio de cartero, muchas veces le había tocado no sólo repartir sobres, sino leer las cartas a sus perplejos destinatarios, quienes las recibían como un presente de cristal que en cualquier momento se haría astillas entre sus dedos. Beneficios marginales, claro, eran las cenas y las cervezas con que dejaba compensar sus cultos servicios. Los iletrados eran tan entusiastas en los aledaños de la estación, que se diría profesionales en la materia. Cuando el cartero aparecía en el barrio, los niños lo escoltaban con la misma euforia que a los gigantes muñecos que por unas monedas contaban historias y chascarros. Y cuando se detenía con la sudorosa carta en alguna de esas casas sin puerta, los vecinos se congregaban discretamente en la acera del frente. Algún pariente de la vecina pasó a finado, pensaban. Salinas espantaba el calor con una cerveza helada a cuenta del cliente, y tras halagar su oscura garganta, procedía a rasgar con sencilla ceremonia el sobre. Una o dos horas más tarde, concluida la cena, salía de la casa con aire misterioso sin mirar a los grupos que tardaban en dispersarse abrumados de conjeturas. Esa misma majestuosidad invadía al receptor, quien a la hora del crepúsculo sacaba su mecedora a la acera y, carta en regazo, se balanceaba con expresión ausente. Finalmente la curiosidad podía en alguna más que la envidia y se acercaba al beneficiario con casual indiferencia: «¿Recibió carta, vecina?» La aludida procedía a estudiar al cuestionante, bajaba con desgano la vista hacia su falda, advertía el sobre abierto recién percatándose de su existencia, volvía al interlocutor, y contestaba: «Sí, pues.» A lo largo del mes se iría revelando a trozos el contenido: protesto por letra compra a plazo máquina de coser, bautizo de nieto en Masaya, muerte de abuela cerca de Bluefields, petición aumento mesada hijo estudiante en Managua.

Hubo un tiempo en que no faltaron un par de cartas diarias con que alegrar el bolso y de paso el magro estómago. Pero desde que la insurrección había prendido y revuelto el mundo, la carta diaria traía sólo la noticia de la muerte de los vecinos del barrio que andaban para la guerrilla. Cuando la huelga de correos estalló, no lamentó perder la cerveza ni los trozos de carne al ajo. Poco antes de la penúltima ofensiva de los rebeldes, en cuanto el barrio lo veía llegar temblaba.

¿Quién habrá muerto?, era la pregunta.

En aquellas mañanas insoladas donde la única frescura vivía en las bocas entreabiertas de las adolescentes siempre dispuestas a hacer soñar a los muchachones y a los carteros sedientos con un beso imposible, sentía repartirse tras su espalda la sombra inconmensurable de su nuevo apodo: el buitre. Cuando los niños se hicieron cargo del apelativo, acompañándolo a la distancia con torvos aletazos de codos y guturaciones ásperas de la garganta, el rubor que lo impregnó fue más pesado y caliente que su transpiración e infinitamente más torrencial. A partir de ese día transportaba la correspondencia desde la central hasta el gallinero techado del traspatio y acumulaba allí los temblorosos sobres a la espera de tiempos mejores. La operación le parecía de equilibrio salomónico: a las madres las salvaba de dolores y él se ahorraba tanto el escarnio como el trabajo. La justicia se perfeccionaba con una última consideración: en el último año las cosas habían subido un cincuenta por ciento y su sueldo, en cambio, seguía imperturbable desde hacía un trienio salvo una contribución voluntaria obligatoria que Somoza había recibido emocionado de los funcionarios públicos consistente en un cinco por ciento del salario mensual descontado por planilla para combatir la insurrección de los sandinocomunistas. Con tal pérdida de su valor adquisitivo, el pago, se dijo, no daba más que para sudar una siesta en la muelle sombra del mesón del correo. El barrio lo dejaba en paz porque asumía espontáneo que los carteros habían incurrido en huelga desde tiempos inmemoriales. A veces, forzando las bisagras, algún impertinente imponía su presencia e invocaba el nombre del capitán Flores, amigo carnal del Chigüin Somoza. Dotado de transparente humildad, Salinas oía las recriminaciones, y con voz baja y ronca emitía el valor del sello. Luego de pesar la carta en una balanza cuyos bolos de fierro habían sido usados para jugar al sapo y a la rayuela con los compadres de la cuadra, recibía el dinero, untaba su lengua melancólica sobre el engomado de la estampilla, la fijaba en el sobre, y entonces la acometía a puñetazos, garantizándole al cliente que con ese mismo vigor y confianza la misiva llegaría a destino. En cuanto el prepotente usuario se retiraba, de un tirón desprendía el sello, lo volvía a clasificar en la carpeta, y sepultaba la carta en el bolsillo trasero del pantalón para hacerla recalar finalmente en el gallinero. Hacia las cinco o seis traía la mecedora a la calle y se aprestaba a recibir amigos o a padecer intrusos. En una categoría nada de intermedia definía al abogado Rivas que cerraba a esa hora su pedante gabinete.

—Qué tal, Mercurio —lo saludaba.

—No me llamés así.

—Mercurio era un tipo formidable. Un dios que tenía alas en los pies.

—Yo sólo tengo hongos, pues.

—Mercurio es un buen apodo, bróder. Si yo fuera escritor me gustaría que me dijesen Shakespeare. Mercurio es un nombre para sentirse orgulloso.

Sobre la mesa de clasificación fue desbrozando la hojarasca de volantes mimeografiados o escritos a pulso contra Somoza. Alguien, quizás, que a punto de ser sorprendido repartiéndolos en las barbas mismas de la Escuela de Entrenamiento Básico de Infantería, había acudido a la parca boca del buzón para deshacerse de ellos. El resto: envoltorios de bombones, un ejemplar de *La prensa* con la foto del obispo Salazar en la portada, un condón en segundas nupcias, un cuaderno de matemáticas lleno de sustracciones infantiles, la mayoría correctas, y una *mosca* dramática: «A las 5 donde siempre.»

Al fondo, levemente pegada a una hoja seca, estaba la carta de Agustín. Salinas la tomó de una punta, la sacudió golpeándola contra su muslo derecho, y enfocándola bajo el luminoso orificio del techo, leyó el remitente.

—Agustín Menor —dijo en voz alta.

Clavó la vista en la pared, sin mirarla. Con las palmas de sus manos fue estirando la carta en una paciente caricia, hasta comenzar a perder conciencia del tiempo. Finalmente, un hondo suspiro lo trajo de vuelta y con el dedo central secó la parte inferior de sus párpados. Puso la carta sobre la mesa, se acostó sobre el respaldo de la silla, y cruzando las manos tras la nuca atisbó verticalmente el trozo de cielo que el último bombardeo somocista había abierto en el techo. Sintió la calma de ese azul objetivo y tenaz. Con un impulso enérgico de la cintura se abalanzó sobre la carta y la consideró por última vez sin quitar las manos de la nuca. Al cabo de dos minutos se puso de pie, la tomó con delicadeza, y con tranco lento avanzó hasta el gallinero.

2

El capitán Flores atravesó el patio perseguido por el vaho de los reclutas que practicaban flexiones bajo el bronco estímulo del sargento Cifuentes. Al advertir a su superior, aliñó aún más sus órdenes. El capitán se detuvo frente a un esmerado recluta y cruzándose de brazos observó sus ejercicios. Cifuentes vino corriendo a su lado:

—Buenos días, capitán.

Éste se llevó dos dedos lacios al quepis.

—Buenos, pues. Quiero que me preste unas horas a Agustín.

Colocándose las manos en bocina junto a los labios, el sargento gritó «alto» y su voz sobrepasó los muros y alcanzó nítida a las viejas que merodeaban el cuartel, ahuyentadas cada cierto tiempo por la guardia. El capitán condujo disimuladamente la mano al lóbulo como si así pudiera amortiguar el zumbido de ese grito artero consumado a centímetros de su oreja. «Te pudrirás de sargento», sentenció sin palabras. Al notar que se aprestaba a emitir otra instrucción se cubrió el oído entero con la palma de su mano.

—Modérese, hombre.
—¿Capitán?
—Menos volumen, sargento.
Cifuentes carraspeó y logró imponer el nombre sin estridencia.
—¡Agustín Menor!
El muchacho pudo percibir la acerada envidia de sus colegas en esas miradas laterales que a medida que avanzaba iba acumulando en su nuca. Al llegar frente a sus superiores, se cuadró conforme a la cortesía militar. Flores dio un cuarto de vuelta indicándole a Agustín que lo siguiese. A los tres segundos tronó la voz del sargento a sus espaldas:
—¡Tigres! ¡Al trote, maaarch!
Los soldados se formaron en círculo y empezaron a saltar alrededor de Cifuentes. Antes de que el capitán y el joven hubieran atravesado el patio, éste se puso a trotar con ellos en el interior de la figura.
—¿Tienen sed, soldados?
—¡Sí! —contestó la tropa.
—¿De qué tienen sed?
—¡De sangre! —gritaron.
El capitán se detuvo a observar el zumbón girar de los reclutas acezados por el instructor.
—¿Tienen hambre, soldados?
—¡Sí, señor!
—¿De qué tienen hambre?
—¡De carne!
—¿Tienen sed, soldados?
—¡Sí, señor!
—¿De qué tienen sed?
—¡De sangre!

—¿Tienen hambre, soldados?

El capitán tomó del codo a Agustín y lentamente lo fue llevando a la salida.

—Decíme, ¿éste siempre es así?

—¿Señor?

—El sargento. ¿Es siempre así?

—¿Así como ahora, señor?

—Sí.

—Sí, pues. Así es él, señor.

—¿Siempre dice esas babosadas de la sangre y la carne?

Agustín sondeó la pregunta y puso la vista en la punta de sus botas, sin contestar. El otro se arrancó un pelo de su frondoso bigote y lo observó intensamente al frotarlo entre la yema de dos dedos.

—¿Tenés sed? —dijo.

El muchacho le sostuvo un instante la mirada y tragó saliva.

—No, señor.

Las viejas se les agolparon en la puerta del regimiento, pero los guardias cruzaron los fusiles sobre el tórax y las empujaron suavemente. Flores llegó hasta el grueso Chevrolet sin atender los gritos y reclamos, y le indicó a Agustín que tomara el volante.

—Mirá qué ruido tiene, a ver si se lo sacás.

Hizo partir el motor, aceleró, y fue desacelerando lento alerta al tubo de escape. Flores le extendió un gorro azul de chofer, igual al que había visto en el coche de la embajada de Venezuela. Cuando Agustín puso la marcha atrás, se cruzó en el espejo retrovisor con los ojos suplicantes de la madre del recluta Marcelo. Con la velocidad de gaviota que picotea la presa en el mar, se apropió compulsivamente de su mirada obligando a que el joven adivinara esas tres sílabas en sus labios tensos: «¿Mar-ce-lo?»

Hizo andar el señalizador de virajes y todavía pensó cinco segundos antes de retroceder impulsivamente y quebrar violento hacia la calle. El primer semáforo estaba en verde y dejó fluir el coche en tercera. Al rato lo alcanzó un bullicio de partes metálicas que golpeaban entre ellas y disminuyó la velocidad auscultando el origen de la panne.

Indicó que doblaría a la izquierda. Flores lo contuvo poniendo un dedo sobre el volante.

—Si en la próxima torcés a la izquierda, tendríamos que pasar por la iglesia de Subtiaba. Seguí derecho hacia la Rubén Darío.

Agustín condujo el auto con zigzags que aumentaron los síntomas de una falla en el engranaje. En la «11 de Julio» torció cerrado a la derecha sin apretar el embrague. Como lo había supuesto, se produjo un estrépito de matracas.

—Por aquí tampoco entrés —dijo el capitán.

El coche se detuvo en medio de la avenida. Los autos tocaron agresivos sus bocinas, pero en cuanto Flores puso sus pies en el asfalto callaron. Avanzó hasta el centro de la calzada, y alzando el brazo contuvo la marcha de un camión de la gasolinera Molieri. Entonces, abanicándose el tórax, le indicó a Agustín que retrocediese.

—Y ahora seguí derecho hasta Guadalupe —le ordenó dentro del coche.

—Sí, señor.

—Y del ruido, ¿qué decís?
—El eje, mi capitán. En cualquier momento se le rompe la dirección, y eso es grave, pues.
—¿Lo podés arreglar vos?
—Es largo, señor.
—Eso no importa. Te pregunto si lo podés arreglar o no.
—Más seguro es que lo lleve al taller.
Flores extrajo una cajetilla de *Camel* desde el bolsillo de su guerrera, se puso el tabaco en la boca y mordió su punta antes de aplicarle la llama del encendedor de plata.
—Al taller, no.
Inhaló satisfecho la primera bocanada y se deshizo de una pelusa de tabaco sobre su labio inferior escupiéndola suavemente con la punta de la lengua:
—Esos cabrones son capaces de meterme una bomba en el motor.

3

Señor Presidente de la República
General de División, don Anastasio Somoza D.
Casa Presidencial
Managua

Señor Presidente:

Me valgo de este medio publicitario en vista de no tener otro para comunicarme con Vuestra Excelencia.

Quiero llamar a su conciencia ciudadana para pedirle sus buenos oficios a fin de impedir la situación conflictiva que estamos sufriendo en esta ciudad. Además, como Pastor de la grey, tengo el sagrado deber de velar en todos los sectores de la vida humana.

Es posible que mi postura de hoy provoque nuevas acusaciones contra la Iglesia, pero ya no se puede tolerar que siga la muerte segando las vidas de los hombres sin juicio ninguno y sólo prevalezca la ley de la selva. Ahora vivimos en el sálvese quien pueda.

Esta ciudad está hoy bajo los días peores de su

historia. Nadie tiene segura la vida. Es una ciudad ocupada y muerta. Las tropas van y vienen por las calles sembrando el terror y segando vidas sin escaparse ni los niños. ¿Qué sucede? ¿Acaso hemos perdido el uso de la razón? ¿Es que la ley del más fuerte debe aplicarse a este amado pueblo leonés? ¿Es que ya no hay moral ni ley de Dios que acatar? ¿Acaso matando se pueden solucionar los problemas de la patria?

¿Por qué no sentarse en mesa de amigos y compatriotas y juzgar o buscar los medios civilizados? ¿Por qué no respetar la persona humana? ¿Por qué echar al olvido las palabras del Maestro: «La paz sea con vosotros»?

Yo imploro por el amor de Dios se contenga esta ola tremenda de criminalidad con las consecuentes venganzas y atropellos al ser humano.

Dios quiere que seamos hermanos. Depongamos el orgullo, la soberbia o la vanidad y revistamos de las armas de luz que son benignidad, bondad, mansedumbre, comprensión, amor.

Señor Presidente, ponga fin a tanto dolor. Hay muchísimos hogares que lloran la pérdida de los seres queridos. La patria está quedando sin los hombres del mañana. Tendremos una patria sin norte ni brújula. Al paso que vamos creo que se enseñoreará la muerte.

Cristo aceptó la muerte y fue a ella para darnos vida. ¿Por qué hacer inútil su sacrificio?

Para que los hijos de Dios tengan sus derechos inalienables y su condición no desmedre, es necesario volver de nuevo a la lucha de la vida: en el campo con las cosechas, en donde el Dios de todo bien derrama su lluvia sobre buenos y malos y hace salir su sol para vivificarlos. En la vida familiar, para que todos gocen de bienestar y paz. En la vida ciudadana para que construyamos una nación digna, próspera y feliz.

Señor Presidente, nada pierde abundando en generosidad, todo se acaba en esta vida, sólo las buenas obras nos seguirán a la eternidad.

Dios nos dará la gracia de la concordia si la pedimos de veras. Que esta Pascua que estamos celebrando sea realmente florida y no sangrienta.

Espero atienda el alma dolorida de este Pastor que clama misericordia. Que la muerte vuelva a su tenebroso escondrijo y no camine impunemente por nuestras calles ni consuma la vida de los nicaragüenses que queremos seguir viviendo bajo la amorosa mirada de Dios y la protección de la Madre de los hombres, María. Atentamente en el Señor,

MONSEÑOR MANUEL SALAZAR ESPINOZA,
Obispo de León.

4

Tras calzarse los guantes, estiró la blanca chaqueta con botones dorados tirándola de los bordes. Marta de Flores le hizo un gesto para que girase, examinó la caída de la espalda, y luego lo conminó a rotar otra vez.

—Te abrochás el botón de arriba.

Agustín enredó sin éxito sus falanges en el estrecho ojal.

—Con los guantes no puedo.

—Vení acá —dijo la esposa de Flores. La presencia respirable de esa piel madura, turbadoramente untada de maquillaje, el aroma jamás olido, el maquillaje espeso sobre los ojos castaños, hizo que sus manos naufragaran en sudor dentro de los guantes. Las incisivas uñas de la mujer rasmillaron su cuello y el botón cupo drástico en la chaqueta de mozo. Al apartarse centímetros para medir el efecto total de su postura, pudo captar los ojos del muchacho hurgándole los senos.

—¿Qué mirás, insolente? —dijo, sin apartarse.

Él se enterró en la punta de los flamantes zapatos, heredados del hijo mayor del capitán, y tragó un sorbo de dificultosa saliva. Odió su cogote sumiso. Terca, la señora del capitán esperó a que la mirase o respondiera, pero Agustín no cambió su actitud, menos preso de la porfía que del desconcierto.

—Ya cogés las copas y salís.

Protegido en la orden de la señora Marta, fue hasta la bandeja, puso las manos enguantadas en los bordes, y al esforzarse por alzarla notó con pánico que el ejercicio hecho a las cuatro había consistido en pasear el arsenal de cocktail con los vasos vacíos. Ahora, con sólo moverlo un milímetro, le pareció que en cada dedal de champaña se tramaba una tempestad, un ciclón que lo arrancaría de cuajo de esos tapices y lo arrojaría sin escalas al calabozo del sargento Cifuentes. En medio de esa aflicción, el relativo alivio que le produjo dejar en la cocina los ojos empecinados de la capitana, fue trizado por el estallido de luz, risas, música, perfumes y joyas del salón. La hija de Flores posaba del brazo de su novio y ambos querían complacer al fotógrafo de *Novedades* colocando en un ostentoso primer plano los anillos de ilusión. Flanqueándolos, la misma corbata, el exacto pañuelo prendido con alfiler de oro, el peinado a la bofetada, y el aire sobrio de quien llega a adornar la foto con la aureola del colegio norteamericano, sonreían los hermanos de la enamorada. Aunque los parlantes insistieron en el irresistible y celestino *Feelings* nadie bailaba pendientes del esquivo fogonazo. Las muchachas flotaban en lamé y terciopelo, y los jóvenes aprovechaban la entusiasta refrigeración de los Flores para ejercer, en Nicaragua, traje oscuro y severo nudo de corbata italiana sobre los cuellos rasurados a la lupa. Agustín tuvo la sensación de que sus pies se mareaban en la blanda alfombra. El trecho hasta el capitán le costó un chorro de transpiración que vino a nublarle los párpados y que no pudo secar con las manos comprometidas en la bandeja. Los hombres levantaron dos copas, y cuando Agustín hizo ademán de retirarse, Flores lo contuvo tomándolo del hombro. El gesto obligó a Agustín a complicarse en un sospechoso equilibrio para evitar que su sudor goteara sobre el champaña.

—Quedate acá —le dijo el militar, posando su copa vacía en la bandeja e invitando al industrial a que tomara otra. Chocaron los cristales y probaron las segundas dosis.

—¿Amigos? —dijo el hombre de blanco.

—Amigos, hombre, amigos. Sólo que yo veo las cosas distinto a usted. Primero que nada yo soy un militar y usted un civil y eso significa no sólo ese traje y este uniforme, sino dos maneras de pensar la realidad. Como soldado, siempre busco luchar en las mejores condiciones. Tácticamente, tener protegida mi retaguardia es mi garantía para dar una buena guerra. Es una cosa personal y *profesional*. Simplemente rindo mejor cuando sé que mi familia está a salvo.

El industrial puso afable la mano sobre el hombro de Flores.

—Entonces no me he expresado bien, capitán. Igual que usted, pienso que lo primero es la familia.

—Eso lo dice ahora, pero no lo dijo antes.

—Es que no me quiso entender.

—Si usted arriesga negocios, yo arriesgo la vida. Es lo que comienza a diferenciar a un soldado de un civil.

—Sigue muy quisquilloso, capitán. Yo sólo le *sugerí* que el viaje de su familia se hiciera con discreción.

—Decirme eso es acusarme.

Flores puso su copa vacía en la bandeja y tomó otra, pero sin llevarla a los labios. El hombre de blanco miró con recelo a Agustín y después probó una sonrisa conciliatoria.

—¡Por Dios santo, hombre! No soy *yo* quien se lo digo. Es lo que la *gente* va a decir.

—¿Qué gente?

—Para empezar todo León, pues. Y luego los periodistas. Desde el asesinato de Chamorro les han crecido ojos. Ven por debajo de la tierra y lo que no ven lo inventan.

—El asesinato de Chamorro fue una estupidez.

—Capitán, todo crimen es reprobable.

—Los estúpidos más que los otros.

El hombre de blanco abandonó su copa en la bandeja y se acarició melancólico la barbilla.

—Por ejemplo —dijo después de un rato— no hubiera hecho esta fiesta.

—¡Mi hija la quiso! ¡Quién sabe cuánto tiempo estará sin ver a su enamorado! ¿Usted cree, señor, que los militares no tenemos sentimientos?

El industrial elevó los brazos parodiando una súplica y sonrió con desesperanza.

—Usted interpreta todas las palabras de un amigo fiel como agresiones.

Flores bebió impulsivo el champaña, y al hacerlo, pudo advertir que un grupo cercano había callado al oírle subir el tono.

—Olvidémonos —dijo—, olvidémonos.

Se entretuvo en el rígido mentón de Agustín y luego recorrió su tenida de mozo hasta los pies. El muchacho se mojó los labios con la punta de la lengua y se tragó el gusto agrio de la transpiración.

—Prefería estar aquí mirando a las chavalas que haciendo tiburones con el idiota de Cifuentes, ¿verdad?

—Sí, señor.

El hombre de blanco suspiró hondo y quiso aprovechar la tregua para escabullirse. Flores lo retuvo vigoroso, asiéndolo de un codo. Le dijo mordiéndose los dientes:

—¿Qué van a decir, señor Zurita? ¿Qué carajo va a decir la gente?

El industrial repuso al uniformado con un silencio terco. Éste lo conminó apretando el antebrazo a que se pronunciase, pero convencido de que el otro seguiría refugiado en la mudez, él mismo se contestó:

—Que las ratas abandonan el barco antes de que se hunda. ¿Es eso?

En los parlantes sonaba *Love is in the air*, y el hombre de blanco no pudo atraer la atención de su hijo que le sonreía efusivamente a una quinceañera encremada de tules.

—Lamento que esta conversación lo haya irritado, capitán. Lo siento verdaderamente porque aprecio mucho su amistad.

—No se preocupe, don, que a mí las palabras

me ponen arrecho, pero no me matan. Otra cosa son las balas, ¿no?

Los hijos del capitán llegaron ávidos hasta la bandeja, estrecharon corteses la mano del industrial, y al verlos a ambos tan cerca, tan parecidos, tan buenosmozos, tan rigurosamente peinados y europeamente elegantes, Flores sintió que la ira se le licuaba en una sonrisa cálida.

—¡Salud! —invitó al señor Zurita, con esa nueva luz en la mirada.

5

Mi querida Vicky, victoriosa, vitriólica, vikinga, vitamina, vitalísima, virulenta, vívida, visionaria, vilano, viento, vida, vida mía: aquí va otra carta de tu poeta que se ahoga de tanta ausencia, que se desespera porque tal vez estos papeles nunca te lleguen, o los recibás cuando no querrás ni oír mi nombre. No sé dónde irme guardando tanta lágrima que no me brota y que la ando cargando como si me hubieran metido balas y me desangrase. Todo el tiempo tengo los ojos húmedos, y si no es por lo que veo es por lo que me acuerdo. Muy pocas veces duermo y cuando duermo sueño y los sueños son nada más que la continuación de lo que veo, la repetición de lo que veo. Pero estoy sano, muy quemado, un poco loco, pero ni la más pequeña de las balas me ha tocado. Yo creo que el mismo miedo de que me maten las ahuyenta. Aquí nadie dice que le tiene miedo a la muerte, y yo de creerles, les creo. Pero yo le tengo miedo porque quiero volver a verte. Antes siempre pensaba que te encontraría *después* del triunfo. Me imaginaba entrando a León con mi mochila llena de flores y los bolsillos de la guerrera y los pantalones salpicados de poemas, abrazando a las gentes del pueblo, y que tú aparecías entonces entre la multitud y me besabas fuerte en la boca, me metías toda tu lengua en mis encías, me bañabas con ella mis dientes secos y hambrientos, me arrastrabas corriendo a tu pieza y me desnudabas con la frescura de una lluvia al mediodía. Pero el triunfo tarda. Ese triunfo, por ahora, son días enteros que paso bordeando el lago sin verte, sin poder hablarte. Ahora ya no me hago sueños ni ilusiones. Me gustaría verte hoy mismo, haberte visto ya ayer. No importa que aún Somoza esté en el gobierno, no importa que la muerte crezca alrededor nuestro como maleza. Quisiera verte. Ofrecerte mi lucha, aunque no puedo llevarte el triunfo. Soy el más loco de los sandinistas. Se me ocurren imágenes que se me vuelan como pájaros que estuvieran desesperados aleteando en mi cabeza. Las escribo y nunca es lo mismo. Todo me resulta muy complicado, y lo que pasa es que lo que veo es complicado. Yo le tengo miedo a la muerte. Se lo dije a mi comandante. Me dijo: ¿le tenés miedo al combate? Al combate, no, le dije. A la muerte. Soy el más delirante de todos los de mi unidad. Tengo tres cuadernos escritos con poemas, y cargo más libros que balas. Me gustaría encontrarme un día con el padre Cardenal y mostrarle mis poemas. Yo le tengo miedo a la muerte. Ando en el bolsillo con un poema de Javier Heraud que siempre lo leo y lo pienso.

Yo nunca me río
de la muerte.
Simplemente
sucede que
no tengo
miedo
de
morir
entre
pájaros y árboles.

Yo pienso que si por ahí muero, los pájaros y los árboles seguirán ahí, absolutamente indiferentes a mi muerte. ¿Qué tendrías vos de mí? ¡Nada más que mi ausencia! ¡Amor! Voy a vivir hasta el triunfo porque este triunfo es para todos pero también yo quiero disfrutarlo. Yo quiero ver cómo te brilla el triunfo en los ojos, qué es lo que el triunfo le hace a tu cuerpo que tanto deseo y que tanto me has esquivado. Sé que no soy buenmozo, pero tampoco feo. ¡Y si ahora me vieras con barba y este pelo! Si quisieras besarme tendrías que explorar en una espesa vegetación para hallar mis labios. No sé si me gustaría que te llegara esta carta. La leo y no me gusto. Me siento débil. Me dan pena los enormes días sin acciones. Me da pena la cordura, la disciplina, la estrategia, que nos hace avanzar y replegarnos. Quisiera llegar cada minuto al final de todo, sin dilaciones, sin pausas.

No quiero deprimirte con estas líneas, y sin embargo a medida que escribo me voy poniendo más triste. Pensé que escribiéndote te podría decir todas esas cosas que callaba junto a vos en esos domingos en El Sesteo cuando tomábamos café antes de entrar al cine y cuando vos a cada rato me preguntabas en qué pensás, y como a mí no me gustaba decir nada, te decía alguna cosa que inventaba ahí mismo y veía cómo vos me estabas sonriendo pero también veía allá al fondo, una playa lejana, tu tristeza, lenta como una sombra o un enorme perro haraganeando a los pies del león de la catedral. ¿Cómo puedo quererte tanto y andar enredado en mi amor como en un abrazo?

A veces pienso que escribo y escribo poesías porque no sé vivir. Siento que todo me empuja o me pasa por delante. Cuando tomo una decisión y hago algo, nunca me entero cómo llegué a hacerlo. Hoy estoy aquí, cerca del lago con los muchachos, y lo único que querría es estar tendido a tu lado, tan junto a tu piel. Tu piel misma. No sé qué sienten los otros compas. Para mí el tiempo pasa lento, para ellos creo que no pasa. La espera de noticias o de instrucciones los absorbe con tanta intensidad como las acciones. Se pulen en ese silencio. Como si callar y concentrarse sobre sí mismos los hiciera más fuertes. No quería contarte pero hubo días en que estuvimos saliendo y entrando en Masaya, Granada, Niquinihomo. Un domingo fuimos con un compa a hacer un trabajo a Catarina. La Guardia Nacional había capturado a todos los jóvenes del pueblo que luego aparecieron muertos en los alrededores. Te lo digo para que te cuidés, si tenés más de trece años ellos quieren matarte. En primer lugar quieren matarte. Tú eres mujer, pero no te fiés. Te cuento de los de Catarina, porque tengo que darte la mala noticia de que mataron a Francisco Latino. Dicen que fue por una represalia, dicen que los muchachos habían provocado un incendio en la casa de un oreja. No sé si es cierto. Pero aquí en el sur están matando a todos los que tienen más de trece años. Mataron a Francisco Latino. Tengo que comunicarte también la otra mala noticia de que mataron a los hermanos de Francisco. Mataron a Domingo Pompilio y a Mario. Contale a Ignacio, porque él fue muy amigo de ellos. Él los tuvo una semana en Poneloya el año pasado. Contale a Ignacio pero decile que yo le pido que no se amargue. Que se cuide. Aquí a todos los que tienen más de trece años los están matando. No creás lo que dice Somoza de que gobernará hasta el 81. Lo vamos a echar antes. Yo voy a vivir para verlo. Aunque ellos matan a mucha gente, yo voy a vivir para verlo.

Tal vez te estás formando una mala opinión de mí porque hablo tanto de mí mismo y poco de los otros. En verdad, te pido disculpas porque creo que siempre he sido un poco egoísta. Siempre tratando de entender qué es lo que siento. Siempre dándole y dándole vuelta a las palabras. Creo que me pasó contigo lo que decía Darío:

Tú, que estás la barba en la mano
meditabundo,
has dejado pasar, hermano,
la flor del mundo.

Pero no seré tan tonto cuando te vea. Cuando te vea te voy a besar y a besar y voy a hacer combustión contigo y me voy a fundir en vos y dejaré que mi cabeza esté tan llena de tu amor que no tenga que pensar en nada. Dicen que va a llegar un momento en que el Frente dará la orden de que todo el mundo vaya a la huelga y que entonces será la ofensiva militar definitiva.

Yo ya quisiera tener ese momento redondo y perfecto entre mis manos. Como esa naranja llena de néctares que me comería en Chinandega. Yo ando dando tumbos con ese momento que no llega. Ese momento me eleva como un cometa. Aquí en las noches caen aerolitos. Parece un eterno año nuevo. Pero yo no conozco los nombres de los pájaros. Les pregunto a los campesinos y según se posan en las ramas de los árboles, me los van diciendo, según el vuelo me los van contando, según el canto. A veces son los días así largos, un río. Se mueven, pero permanecen. Tan quietos. Y de pronto estamos en acción. Asaltamos comandos de la Guardia en la carretera, entramos a un pueblo y lo copamos, las balas reemplazan a los pájaros. Los muchachos gritan Patria o Muerte cuando avanzan. Yo no digo nada. Intento cumplir lo que me encargan. Me acostumbré a disparar, pero luego no quiero ver si he muerto a alguien. Ojalá que Somoza se vaya. Vamos a triunfar, pero el país quedará destrozado. Cuentan que en Masaya, en Monimbó, la población resistió en febrero el ataque de la Guardia con bombas de mecate y pólvora. Días enteros. De los nuestros fue Camilo. La Guardia entró con todo en Monimbó: tanques, aviones, infantería. De León no sé nada. Dicen cosas, pero siempre tan vagas. Dicen que la universidad está cerrada. ¿Y vos, entonces, qué hacés? ¿Tu viejo sigue cesante? Dicen que en Nicaragua la mitad de la población no tiene trabajo. Aunque no vayás a clases, tratá de seguir estudiando. Sobre todo mucha práctica. Cuando triunfemos vas a hacer mucha falta con tu taladro y tu mano de ángel. Me alegro de haberte prestado una de mis muelas para tus ejercicios, porque la tapadura sigue firme como roca. Lo que sí creo que te quedó un poquito demasiado grande, porque siento su tamaño cuando paso la lengua por ella. ¿O será que estaba acostumbrado a meter la punta de la lengua en el hoyo cariado? Con nosotros está un chileno que también estudió Odontología en su país. Dice que en las competencias deportivas entre facultades el grito de ellos era: «Canino-canino, molar-molar: Escuela Dental». No sé ya qué te estoy hablando, pues. Todas las palabras me molestan y aprietan como un traje nuevo o un par de zapatos dos números más chicos. Lo único que tengo cierto son estos brazos que se vuelan para abrazarte y que yo amarro con esta letra pequeña que cada vez se achica y se achica para que alcance hasta el final de la página. Si tuviera papel te escribiría más largo. Ahora me alcanza apenas para ponerte bien chiquito (aunque la intención es muy grande) «te amo».

P.D.: Todo lo anterior lo escribí ayer. Hoy supimos que no habrá nuevas ofensivas en el resto del mes. En todas partes se analiza los efectos de la huelga de enero. Dicen que el tal Solaun influyó en sectores empresariales para terminar el paro. Ha sido el ensayo general de otra que vendrá, la enorme, la triunfal, la que me devolverá a vos (si vos aún me aceptás). Y ahora que me doy cuenta, casi me olvido del objeto de esta carta. Te pido excusas por no haber ido a tu casa el día que te lo prometí: simplemente no pude. No creo que hoy consiga otra hoja de papel. Tampoco alcanzo a corregir la carta porque alguien de mucha confianza viaja a León y te la hará llegar. Él sabrá cómo. Es astuto como un zorro y valiente como un... leonés. Estoy contento porque creo que esta carta sí te llegará. Y más contento aún porque quizás vos podás responderla. Se despide de vos con un beso muy erótico, tu poeta,

LEONEL.

Salinas leyó el colofón de la carta y yendo en punta de pies hasta la cortina verde, la deslizó sobre el riel. La sombra que sobrevino no tuvo ni la más mínima arista de frescura. Se instaló rotunda e irrespirable.

Sin procurarse alivio, Ignacio se pasó el empapado pañuelo una vez más por la frente y los párpados. Deshizo los pies cruzados sobre el canto de la mesa de clasificación y apoyó los talones en su silla. Luego hundió el mentón entre las rótulas y quiso identificar la expresión del rostro de Salinas en la húmeda penumbra.

—¿Idiay? —le dijo.

Salinas estuvo un par de minutos acariciando los pliegues de la cortina, empeñado en que no se filtrara un estilete de luz caliente.

—¿Idiay? —insistió Ignacio, sin cambiar su

posición. El funcionario le dedicó una mirada sin respuesta, y volvió a alisar obsesivamente el cortinaje—. Dejá eso hombre, y hablemos de lo que nos interesa.

Salinas extrajo su cabeza por la ventana y revisó la dilatada calle de la siesta con la minuciosidad de un relojero.

—No hay nadie —dijo, secándose las palmas húmedas en la falda de la cortina.

—¿Quién iba a haber?

—Alguien, pues. —Torció el cuello en dirección a Ignacio y le dedicó una mirada medularmente sospechosa—. Alguien que te hubiera seguido, pues.

Ni el enorme bostezo con que Ignacio expandió su cuerpo, derritiéndose plácido sobre la silla, le hizo sentir a Salinas la nimiedad de su aprensión. Puso la carta sobre la mesa y encima, cubriéndola totalmente, el libro *Cleopatra* por Emil Ludwig.

—En fin —dijo el joven—. Tenés miedo.

—¿Yo? —exclamó Salinas, escandalizado.

—Pues, salís ya y se la llevás.

—Podría ser —dijo.

—¿Cómo es eso de que podría ser? ¡Lo hacés o no lo hacés, ésa es la cosa! Si lo hacés, lo hacés, si no lo hacés, no lo hacés.

El hombre levantó la punta del libro y espió el margen inferior de la carta. Leyó: «muy erótico, tu poeta».

—¿Por qué yo? —dijo.

—¿Por qué vos? —gritó Ignacio—. Porque sos cartero, baboso. Qué mejor que un cartero para que entregue una carta.

Salinas puso un dedo vertical sobre los labios y señaló significativamente hacia la ventana. Fue hacia ella, corrió la cortina y miró hacia ambos lados de la calle.

—No hay nadie —dijo.

Vino hasta la mesa, alzó el libro, y desde la altura estudió la caligrafía de esas tres páginas nutridas de una letra económica y tensa.

Ignacio avanzó hasta el costado de la mesa, agarró la carta y se la puso en el bolsillo de la camisa.

—Dejémoslo hasta aquí —dijo—. Si no te atrevés a hacerlo, no lo hagás.

Salinas de un rotundo zarpazo le arrebató los papeles, los puso con un golpe sobre la mesa y comenzó a alisarlos.

—¿Cómo lo hago? —dijo.

—Antes que nada, ponés la carta en un sobre. Al sobre le ponés una estampilla. A la estampilla la marcás con el timbre de correos.

—El timbre que yo tengo es de acá. El poeta está por Rivas, ¿no?

—Pues lo ponés y lo borrás así con el dedo. Cuando uno recibe una carta lee la carta y no el sello.

—Hablás así porque vos no la llevás. Soy yo el que la lleva.

Ignacio sonrió. Ese enfático *yo* de Salinas, había sido también suyo alguna vez. En un tiempo en que contaba más quién hacía la acción, que su efecto.

—Perdoná —dijo—. Es un detalle importante.

—Me alegro de que te des cuenta.

—Me doy cuenta.

Salinas metió los papeles en un sobre, y cuando se disponía a untar saliva en la engomadura, detuvo su lengua en la punta del triángulo:

—Supongo que dará lo mismo quién pone la saliva en el sobre —dijo.

—Lo mismo —exclamó con voz ahogada, frunciendo la sonrisa que pujaba por abrirle los labios.

Salinas deslizó meticulosamente la lengua por el borde engomado, como quien corre una cremallera, y luego aplanó el sobre encima de la mesa de clasificación dándole golpecitos con el puño.

—Te preguntaba —dijo sin mirar al joven— porque dicen que en Panamá entrenan a los militares con todo tipo de recursos técnicos.

—¿Sí?

—Es muy posible que por la saliva sobre la goma de un sobre descubran quién es el dueño de la lengua.

—La carátula escribila vos.

Ignacio puso el lápiz entre sus dientes, alisó una vez más la superficie con la palma de su derecha, trajo el lápiz y escribió:

Señorita
Victoria Menor
4 cuadras al sur de Farmacia Lucy
León
Nicaragua

El cartero se asomó por sobre el hombro y contuvo la respiración al leer el nombre.

—La Victoria Menor —dijo—. ¡La hija de Antonio Menor! Pero si es para la Victoria Menor.

—¿Dónde están las estampillas, pues?

—¡La propia hermana de Agustín, carajo!

Salinas extrajo un sello de un córdoba y lo puso sobre la carta. Ignacio lo untó en saliva y lo estampó en el costado superior derecho. Luego cogió el timbre de goma, lo puso en el interior de su boca para echarle aliento y por último lo golpeó, resbalándolo sobre el sello para que las palabras se borronearan. Luego asintió con la barbilla satisfecha:

—Ni Cristo podría leer lo que dice el timbre.

Salinas lo estaba observando como si tuviera atragantada la respiración y no se atreviera a expulsarla. Tragó abundante saliva y dijo:

—¿Te puedo decir algo? —Ignacio se rascó la nariz, condescendiente—. Hubo un tiempo en que la Vicky me gustó mucho.

—¿Te enamoraste de ella?

El joven estudió el lento rubor que avanzaba sobre la tez del cartero. Éste pudo adivinar que una súbita ronquera evitaría la respuesta, y asintió con la cabeza, como quien intentara respirar en un océano de vergüenza.

—¿Y nunca se lo dijiste?

—No —dijo con una voz ajena.

—¡Años de años en la misma cuadra, comprando el aceite en el mismo almacén, oyendo los mismos discos, en el mismo grupo de amigos...!

—Ella era muy linda.

—¿Idiay?

—Cosas que a uno le dan, pues. Las mujeres muy lindas no son para uno.

—Ésa es una filosofía babosa y fatalista, Sali. Las mujeres lindas siempre están inmensamente tristes y solas porque se les acercan nada más que los hombres lindos que les hablan babosadas y las usan para pasearlas y mostrarlas y todo eso.

—Yo tampoco tengo el don de la palabra.

—Ni falta que hace. Cuando yo siento algo profundo por alguien, algo así más o menos grande, yo no más la miro y me callo.

—¿Y nunca te falla?

—Nunca me ha fallado.

—Pues yo ni siquiera esos silencios tan buenos tengo.

Salinas levantó la carta del mesón y la sacudió ante los ojos de Ignacio esgrimiendo la prueba definitiva.

—¿Viste vos de quién se enamoró? De un poeta.

Ignacio le clavó los ojos como el arañazo de un gato.

—De un compa, ¿no?

Salinas le tomó el peso a la carta y pareció darle vuelta a un carrusel de recuerdos. Ignacio fue hasta el fondo de la habitación y pasó la mano sobre el empolvado artefacto de la esquina.

—¿El telégrafo? —preguntó de espaldas a Salinas.

—Sí.

—¿Sabés usarlo?

—He visto cómo lo usan, pero de usarlo yo, no lo he usado.

Ignacio se dio vuelta y con un tranco ágil fue hasta Salinas y le clavó insistentemente un dedo en el pecho.

—Tenés que aprender a usarlo —le guiñó un ojo—. Es una orden.

El cartero quedó perplejo en medio del cuarto mientras el joven se marchaba permitiendo que un segmento de luz, ya que no de aire, llegara hasta su cuerpo. Estuvo largo tiempo engolosinado en su perplejidad, y de pronto, encendido por una descarga, fue hacia la calle y se puso a trotar con la carta empuñada hasta alcanzar a Ignacio. Cuando estuvo junto a él, jadeando, le esgrimió una vez más el sobre con la misma evidencia que lo había hecho en el escritorio.

—¿Por qué no le entregás la carta vos? Sos su vecino. Y si no se la querés dar personalmente, ¿por qué no se la echás debajo de la puerta?

Asintiendo con la barbilla, como le era habitual, Ignacio oyó las preguntas escrutando en lo más alto del cielo si esa tarde llovería.

—¿Tenés otra pregunta?

Salinas se sacudió, intentando calmar un ataque de súbitas e imprecisas picazones.

—No, pues. Ésas serían todas, no más.

El muchacho desplazó la vista en un semicírculo controlando la vereda del frente y ambas esquinas. Esperó pacientemente con la nariz agarrada por los dedos que pasara un hombre desconocido, recién entonces tomó las manos del cartero con las suyas y las agitó suave, fraternalmente.

—Porque algún día tenías que empezar.

6

A la altura del hospital San Vicente, puso las manos sobre la raída maleta e intentó concentrarse en su contenido. El vestido verde con escote fulminante, para Myriam. A la vieja, los zapatos negros, y los marrones para la vecina. Mejor todos los zapatos para la mamá y que ella los reparta. La blusa azul para la Vicky. Y la blusa verde para Myriam. Verde Myriam. Blusa verde, traje verde. Al costado derecho el cartón de *Winston*. Lo parto en dos. Mitad para el tío Emilio, mitad para el papi. Y de la mitad para el papi, mitad para la Vicky. Mejor tres paquetes para el papi, cuatro para la Vicky, y cuatro para el tío Emilio que es el más vicioso. Y todas las camisas para el viejo. Planchadas, impecables. Quince córdobas pagadas y bien pagadas, señor, porque las dejaron flamantes. Buena gente, doña Marta. Ropa usada de primera. «Como nuevas», va a decir el viejo. Sonrió cuando el tren hizo rechinar los frenos. Al detenerse, el aire pareció consumirse en el vagón solitario, y el muchacho fue tragado por la familiaridad de los aromas de la feria, la exacta disposición de cada uno de los negocios callejeros, invariable con los años. Evitó las escalas con un salto y fue recorriendo el andén en un ritmo ajeno al contorno. Balanceó la valija. Había recuperado la alegría despreocupada con que hacía una década, en esas mismas pistas, volvía de la primaria jugueteando con el bolsón escolar de vuelta a casa, el estómago apurado y liviano como cometa, mareado por los olores penetrantes de los kioscos de carne, yuca frita y granadillas. Al fin del andén, sin dejar de balancear la valija, estuvo espiando hacia el depósito de buses interlocales, y no pudo resistir el hechizo del abigarramiento de viajeros y vendedores ambulantes. Todo se ceñía en ese sofoco que era León.

Abreviando la ruta, de un salto estuvo sobre los rieles que dividían la calle. Un río de fierro. Desde los durmientes, fue curioseando los interiores de esas casas en las cuales alguna vez almorzó, hizo los deberes con el compañero de banco, o jugó hasta tan tarde en la noche que Antonio había salido en pijamas tras sus huellas. En cada patio se mataba la sed sorbiendo largas limonadas. Había que ir a buscar hielo en bicicleta o seducir al cartero para que concediese el triciclo. En el barrio todos parecían ser zapateros o peluqueros. A los pocos pasos, le llamó la atención no encontrar conocidos. Pero más adelante, dos o tres caras familiares siguieron sin detenerse. Tal vez el anonimato del corte de pelo militar, se dijo. La última imagen que de él guardarían los vecinos sería su alborotada melena bailando cumbia con Myriam en el local de los bomberos. Pero cuando al doblar la esquina que lo conduciría recto a su hogar, chocó contra Ignacio, que transportaba el aro de una bicicleta, supo que había otros argumentos al sentir su mirada filuda.

—Me zafé por el fin de semana —dijo Agustín, incómodo.

El otro apretó la llanta sobre el metal de la rueda y prestó una absurda atención a sus mohosos rayos. Quiso abrir el silencio, pero no halló más que turbación en la lengua y desorden en los dedos. Esquivó a Agustín, y dobló la esquina raspándose el codo contra el muro. El soldado quiso silbarle, pero pudo más el desconcierto que la voluntad y siguió su camino balanceando la maleta sin entusiasmo.

Le llamó la atención que su casa estuviese cerrada. En León se perseguía el viento con frenesí, y sólo en las noches, cuando el voluntarismo de la gente confundía la oscuridad con la frescura, se juntaban las puertas. Pulsó la manilla y no pudo dejar de sonreír imaginándose dentro de un minuto en el medio del salón expuesto al asombro de sus parientes. Amalia, que barría en un rincón, se dio vuelta atraída por la súbita luz, y al reconocer a su hijo se palmoteó teatralmente la frente como si asistiera a un milagro. Tiró la escoba al suelo y encajó los brazos bajo los hombros del joven ofreciéndole sus mejillas a los labios. Agustín ni tuvo tiempo de soltar la valija. Se dejó fascinar por el cariño físico de su madre haciéndose pequeño en el palpitante regazo. Lo balanceó siguiendo el compás de un vals invisible, y luego lo apartó apenas, sólo para mojarlo con un largo beso en la mejilla que acompañó de un ronroneo.

Bajo el dintel de la puerta de la cocina apareció el padre.

Agustín se libró del abrazo de Amalia y se puso rotundo frente a Antonio, sonriente y meneando la valija. Éste pestañeó varias veces, y como si una obsesión lo accionara fue hasta la jarra de agua y bebió largamente del canto apartando la copa.

—¿No me va a saludar, viejo? —dijo Agustín.

Antonio demoró otro trago, se limpió la boca en la manga de la camisa, y sin mirarlo murmuró:

—Buenas tardes.

Puso las manos sobre el jarrón y pareció ensimismarse.

—Yo avisé que iba a llegar —exclamó Agustín—. ¿No les llegó mi carta?

La madre levantó la barbilla conminando a Antonio a que respondiera.

—No —dijo entre dientes—. No recibimos nada.

La madre le acarició el pelo.

—Lo importante es que viniste.

—Sólo por el fin de semana.

—¿Y al Marcelo lo soltaron?

—No. Ése está adentro. Vi a su vieja dando vueltas alrededor del cuartel.

—¿La dejaron entrar?

—¡Se le ocurre, señora! Ahí no entra ni sale nadie ya.

Antonio parecía abstraído en descifrar los ruidos de la calle, pero se dio vuelta hacia Agustín, brusco:

—¿Y vos cómo saliste, querés decirme?

El joven recordó los mohínes picarescos que hacían reír al padre cuando era niño, y levantando las cejas le guiñó un ojo cómplice:

—Santos en la corte, pues.

En vez de la sonrisa o la mano velluda del hombre revolviéndole la melena, o los aniñados golpecitos en la quijada, Antonio dijo «con permiso» y se fue a la cocina. Se cruzó con el tío Emilio. Éste vino hasta el joven, lo palmoteó fríamente en la mejilla, y palpó la valija que aún colgaba de su mano.

—¿Trajiste cigarrillos?

Sin oírlo, Agustín volvió el rostro a Amalia parpadeándole la ausencia y la conducta del padre.

—Ya se le va a pasar —dijo ella.

El tío Emilio puso sus espesos bigotes grises casi en la oreja del muchacho y le secreteó:

—Desde que quedó cesante, anda raro.

—¿Y qué hace?

—Un poco ayuda en el cine, otro poco por ahí vagando.

La mujer se sacó el delantal, lo puso sobre una silla, y abandonó la casa. Agustín y el tío quedaron de pie en el salón y se sonrieron largo. El joven suspiró hondo y recorrió los ornamentos con la mansedumbre cariñosa que se le dedica a los viejos amigos: el calendario del almacén José Jirón de paisaje volcánico y ese diciembre de 1960 consagrado eternamente en el muro, la foto amarilla autografiada por Rubén Darío, la pequeña postal con la urna del poeta en la Catedral de León, el enorme abanico eléctrico que esperaba hacía dos años una reparación, el bordado de ese mantel de

Masaya que había traído con su primera paga de la EEBI. El tío Emilio dejó que el joven disfrutara de ese reencuentro —de esa tregua— sin hablarle. En la quietud, se oyó la sirena policial acercándose.

—Cada día principian más temprano —dijo el tío.

La foto de primera comunión lo atrajo. Él y la Vicky levitaban de espiritualidad para el artista Ebenor: los ojos místicos, el cabello de él encementado en gomina, el de ella tocado de velos, lentejuelas y mostacillas, y la cinta impresa en moldes dorados que consignaban para la historia el santo día. Al pie habían firmado: «Tin y Vicky para nuestros queridos papacito y mamacita.» Aunque ella estaba transida de seriedad, Agustín supo leer la risa oculta que le empujaba el cutis, el germen de esa lámpara que encendía lo que se le ocurriera mirar, la alegre trampa donde metían sus pezuñas los seductores profesionales o *amateurs* seguros de sus técnicas en las primeras escaramuzas y que a la altura de las finales rondaban pálidos de amor la esquina de la casa o acechaban el portón del liceo con la única esperanza de escamotearle una sonrisa. Su álbum confidencial contenía incendiados corazones, chamuscadas versiones de los *Veinte Poemas de Amor* de Neruda. Vicky fue luego la Claudia de los epigramas de Cardenal, pero también las pupilas de Bécquer. Página por medio algún ingenioso incurría en un «poesía eres tú». Victoria era la luna provinciana que tentaba a futuros astronautas, traficantes de calzado, beisbolistas melancólicos, guapos con cicatriz y sin, burócratas de bigotes finamente acerados. Años más tarde, cuando la insurrección había dejado de ser una tentación y la palabra *amanecer* los mareaba más fuerte que el guaro mañanero, habían acudido a sus faldas pálidos complotadores universitarios: desaplicados en Histología o confundidos con la trama del Gran Simpático, mas ávidos lectores de Sandino, Martí y Mariátegui; defenestrados en álgebra y química, pero adictos a las fórmulas *Molotov*, a la geografía relativamente invulnerable de los Sherman, a los ácidos y alcalinos matices de las Punto 30; y en caso de necesidad, no le hacían asco al modesto mecate.

Agustín salía de clases y la esperaba enhiesto y triunfal asido a un cucurucho de helados. Ella salía invariablemente jugueteando con sus trenzas. Al minuto, descerrajaba el botón supremo de su blusa colegial y surgía la sinopsis de sus tetas. «¡Qué calor!», decía siempre. Iniciaban el camino a casa y Agustín percibía que sobre su lomo crecía irresistible el concierto de bronces y violines, címbalos floridos, rumiantes cellos, que iban sumando los murmullos y suspiros. Él mismo tuvo notable prestigio con el solo artilugio de ser el legítimo hermano de su hermana. Desde que ella cumplió los trece y él doce, dejó de ser el «Tin» para los chicos del barrio, y fue mundialmente conocido como «el hermano de la Vicky». Hasta ella peregrinaban —aparte de los créditos locales, todos pajarracos de Subtiaba— linces del Reparto Estrella, de las inmediaciones del Campo Médico, y hasta de la misma Managua, lagunosa y terremoteada, surgían candidatos olorosos a crema de afeitar y suelas sin agujeros. Antes del baseball, los dos capitanes caminaban pie a pie hasta que uno se posaba sobre el otro. Ése tenía derecho a elegir los miembros de su equipo. El ganador diría sin vacilaciones: «El hermano de la Vicky», como si Agustín no se percatara que tras esa insensata preferencia subyacía la congruente táctica erótica consistente en ir minando los aledaños del palacio y sus puentes levadizos, hasta asaltar alguna noche la recámara nupcial de la princesa.

Pero a Victoria le aburrían tanto los galanes lánguidos, como los que estiraban muy rápido los dedos. A ambos los ahuyentaba con el socorrido pretexto: «tengo que estudiar con mi hermano». A quienes por tema de conversación le proponían el baseball o el brillante futuro que les aguardaba cuando heredaran las tiendas de sus padres, les bostezaba luciendo toda la majestuosidad de sus dientes picarescos. A los poetas escarlatas que le ofrecían mansiones de nubes y anillos de hierba, les pedía que por favor concretaran. A quienes en cada visita le traían regalos les rogaba que fueran más abstractos. A los concurrentes de la maratón del sexo, ganadores sucesivos de los trofeos «Machismo» y «Vírgenes perdidas», les contaba que su padre poseía un Fal de este tamaño y que no era para usarlo en la guerrilla. En un ardiente debate político que culminaría con los estudiantes levantando barricadas contra las tropas, se subió al pupitre para alegar que en la futura acción no se le había dado tareas a las mujeres. Que muy revolucionarios serían todos, pero que en el fondo eran unos machistas y unos cabrones. «Bueno, compa», le gritó quien presidía la asamblea, «aquí estamos discutiendo la revolución y no babosadas feministas.» Lo único que Vicky tuvo a mano, un lápiz Faber 2, se lo tiró al medio de la frente con la precisión de una flecha. «¿Cuándo vamos entonces a hablar de las cosas nuestras?», gritó azuzando a sus congéneres. «Cuando triunfe la revolución», dijo el presidente. Vicky se rió como una soprano de ópera y arreglándoselas para mirar uno a uno a los hombres del complot, les dijo: «Lo mismo decían los cubanos. Veinte años de revolución y el machismo como Pedro por su casa. ¿No vieron *Lucía* acaso?»

Así, sorteando obstáculos, cuando terminó el liceo pudo presentar a su familia y aspirantes más obstinados un fulgurante diploma de promoción. En la fiesta respectiva, que comenzó siendo íntima y que culminó con un vendaval de convidados de piedra, anunció su plan quinquenal con la minuciosidad de un ministro de país socialista:

Primero. Sería la única de la familia en entrar a la universidad y agradecía a su padre Antonio, a su hermano Tin, y a mi querida mamá Amalia, a quien le he hecho salir canas, sus esfuerzos y sacrificios para que yo siga una carrera.

Segundo. Los confesores íntimos, los compañeros de escuela, los pretendientes oficiales, los arrebatados espontáneos, los autodesignados novios, cesaban a partir de ese momento en dichas funciones y eran pasados a la rigurosa categoría de «simplemente amigos». Este cambio en el escalafón, no debía considerarse definitivo sino transitorio. Su validez no tenía plazos pero sí metas: el fin de sus estudios.

Tercero. Después de cavilaciones y lectura de programas, documentos, y análisis vocacional, amén de costos de materiales, libros e instrumentos, consideraciones sobre la oferta y demanda del mercado nacional y centroamericano, había optado por asumir la carrera de —pausa tensa— Odontología. Acápite: no tan larga ni difícil como Medicina, pero tampoco tan etérea e irreal como Leyes (sobre todo, papi, en este país donde el código se respeta menos que las señales del tránsito).

El padre vino de vuelta al salón y estuvo mesándose la ruda quijada sin afeitar. Se había quitado la camisa y le colgaba húmeda de la punta de un dedo.

—¿Qué les pasa? —dijo hosco.

—¿Cómo que qué nos pasa? —replicó el tío Emilio, con los mismos modales.

—Están los dos ahí callados sin platicar, sin decirse nada.

Emilio introdujo la mano en la valija y hurgó entre la ropa hasta dar con el cartón de cigarrillos. Intencionadamente dilató desprender el celofán a la espera de que el asedio de Antonio menguara.

La madre trajo desde la calle un pollo envuelto en plástico, mientras Antonio volvía al ventanal azotando la camisa contra el muslo. Agustín puso los regalos sobre la mesa.

—Les traje unos engañitos, pues.

Al levantar las tres camisas pulcramente dobladas, Amalia lo alentó guiñándole un ojo, a que se las entregase al padre en sus propias manos. El hombre vio la ropa que su hijo le ofrecía en bandeja, tuvo un instante de duda, palpó el calibre de la tensión de su esposa sin necesidad de mirarla, y con un zarpazo agarró las camisas, las tendió sobre la mesa, y puso enfurruñada atención en las manchas de aceite y en los detritos de pavimento.

—Gracias —dijo, ya de espaldas.

—¿Qué tenés conmigo, viejo?

El hombre se desdobló desde el marco y sólo cuando estuvo erguido, giró despacio.

—¿Me hablaste?

—¿Qué tenés conmigo, viejo?

Antonio volteó la vista a la calle.

—Sacate eso —dijo, sin decírselo a nadie.

—¿Viejo?

De un salto estuvo sobre el hijo y crispó su guerrera verde claro con los dedos apremiantes.

—¡Esta mierda! —gritó—. ¡En mi casa te sacás esta mierda!

Se fue a la cocina y las viejas tablas del piso crujieron bajo su peso. La mujer se limpió los párpados inferiores con la punta de una uña y el tío Emilio se abanicó con su sombrero de pita blanca. Tenía un cigarrillo en la boca sin encender y lo hizo desfilar de un extremo a otro entre sus labios. Después se ajustó el sombrero, ausente, como si lo instalara en la cabeza de algún otro, y palpó incierto sus bolsillos.

—¿Tenés fuego?

—Quedate a almorzar —dijo Amalia.

—Tengo que abrir el cine. Hay *matinée*.

Puso los paquetes de *Camel* en los distintos bolsillos del saco y luego se sacudió un largo e inexistente polvo de las solapas.

—Hoy pasamos *Pirañas*.

Al abrir, una explosión cercana lo paralizó en el dintel. El padre vino hasta el centro del salón y todos permanecieron oyendo la extraña calma que se adjuntó al ruido. Sólo la onda sísmica siguió revoloteando en la frágil estructura de la casa hasta que la estatuilla de San José cayó al suelo, astillándose. Al minuto sonó la sirena, y muchos motores de jeeps que se encendían simultáneamente. Y casi encima, las balas se desataron, nutridas gotas de un aguacero a la hora de la siesta.

—¿Qué hacemos? —preguntó la madre.

Los hombres no contestaron. Hubo un aullido en las inmediaciones de la vivienda, y sobre el fondo de detonaciones alguien gritó: «patria o muerte».

Entonces Ignacio irrumpió en el dintel sin aliento. Se dio un segundo para respirar como si la sangre no llegara a bombearle el corazón y extendió las manos negras de pólvora ante los ojos de Antonio. Hacía apenas una hora, Agustín lo había visto llevando en esas mismas palmas el pacífico aro de una bicicleta. El padre lo asió del codo y a empujones se lo fue llevando al patio. Agustín los siguió, imantado. Llegaron hasta la muralla confinante con el vecino y de un salto Ignacio se colgó del parapeto. Antonio cruzó sus manos a la altura del vientre y le armó un estribo. El joven se impulsó en él y logró quedar a horcajadas sobre el muro. Parpadeó un instante confundido antes de dejarse caer al traspatio aledaño.

Después de restregarse la tierra sobre el muslo, el padre se sujetó el corazón con una mano, sin dominar el desorden. Al volver al living, encontraron las preguntas no formuladas de Emilio y la madre. Con un movimiento de cabeza hacia la casa contigua, Antonio resumió el episodio. Oyeron trote de botas militares en la acera. Antonio se sentó a la cabecera y con tajantes gestos les indicó a cada uno que ocuparan un lugar sobre las sillas. Los tres obedecieron e imitaron al padre cuando atrajo hacia sí un vaso y la cerveza. No miraron hacia la entrada, pero el oído reemplazó a la vista. El vaso del tío resbaló sobre el mantel, y al intentar detenerlo saltó el canto y cayó al suelo sin romperse.

—Tranquilo, jodido —susurró el padre.

Sobre las rodillas apretadas, el tío puso su sombrero como un funcionario pulcro. La madre sólo se levantó para amortiguar las persianas de madera, declinando el ángulo de sus ranuras. Al volver, lo hizo en la penumbra. Agustín palpó la base de la lamparilla, pero entendió que no debía encenderla.

Cinco minutos después, Antonio trajo la botella hasta su cara y la hizo rodar por la frente.

—Este chunche ya está tibio.

—¿Querés otra?

—La cachandinga y la matancinga —exclamó el padre, echando lento el líquido al vaso para evitar la turbulencia de la espuma—. Y ustedes chúpense también esta burudanga antes que les queme el paladar.

La mujer puso de muralla entre Agustín y su esposo un plato con trozos de pollo. El padre lo ignoró, pero el muchacho extendió dos dedos en pinza y trajo cauto un pedazo hasta la boca.

—Comé —le dijo la madre a Antonio.

Éste aquilató un segundo las presas y las apartó sin brusquedad hasta el centro del mantel.

—No puedo.

Agustín tuvo que rascarse hasta que le doliera, antes de ponerse de pie como si la sangre lo levantara con sus explosiones. Se mordió los nudillos de sus puños hechos una coz sólo porque el último freno de la lucidez le ordenó no gritar. Se arrancó la guerrera y la puso frente al plato vacío del padre. Se desprendió de la camiseta, la arrojó sobre la guerrera, y se pellizcó la piel del pecho.

—¿Esto es lo que quiere, viejo? ¿Qué más quiere que me saque? ¿Quiere que me tire la piel? ¿Quiere que me degüelle? ¿Qué más quiere, viejo? ¿Que me mate? ¿Que desaparezca?

El padre empujó suave la ropa y se fue levantando, la mirada fija en la piel del hijo.

—¿Preguntás en serio?

—Antonio —suplicó la mujer.

—Ahí me contás —la frenó el hombre—. El chaval quiere saber lo que quiero y voy a decirle exactamente lo que quiero.

—Decí pues —le jadeó el muchacho, arengándolo.

—¡Que desertés! ¡Eso es lo que quiero! ¡Que desertés, jodido! ¡Que desertés!

—Yo creo que ya me estaría yendo —dijo el tío Emilio, pero mantuvo su puesto en la silla.

Agustín supo que el padre se contenía para no abalanzársele y que cada palabra que había mordido significaba un puñetazo, una pedrada. Inconscientemente trajo las manos adelante en actitud de protegerse.

—Sos rápido para hablar, pero muy lento para pensar —dijo—. ¿Sabés lo que les pasa a los desertores?

—Sí. Cuando los agarran, los matan.

—Y al padre, a la madre, al hermano, al perro, y al canario, si los encuentran.

—Por nosotros no hay problema, pues.

—*Vos* no tenés problemas. ¿Pero qué hago yo fuera del servicio? Callejear y pedir limosna hasta que me descubran y me fusilen. ¡Por ahí como papalote sin cola! ¿O vos de cesante me vas a mantener?

Se dio un tiempo para tragar saliva, y en ese mismo instante vio al viejo derrumbarse sobre la silla. Agachó el cuello, y absurdamente, comenzó a soplarse los muslos. Un toro cavando la arena antes de arremeter contra la turbulencia roja que lo afiebraba. Supo que su padre se retorcía en su propio cuerpo, chocaba contra su circulación, mordía la lengua, porque no había palabras en el mundo con qué replicarle sus argumentos. El triunfo en la reyerta le provocó una tristeza insumergible. Se desinfló él también y los músculos le saltaron como jirones de un trapo. Hizo ademán de coger la cerveza, pero retiró el gesto. Puso muy hondo los puños en los bolsillos.

El padre miró con dos breves golpes a su mujer y a su hermano, dos ladridos, un triste par de quejas, y al no recibir ni la insinuación de una respuesta, alivio o consuelo, aspiró el agrio aire de la habitación y dijo:

—Comamos.

7

Cuando Salinas salió de la oficina local de la emérita empresa de comunicaciones nicaragüenses con el viejo bolso de cuero colgado del hombro derecho, la gorra equilibrada en el equinoccio de su arbitraria cabeza y la camisa pulcramente desmanchada con un fuerte alcohol, los vecinos suspendieron sus excursiones al almacén y detuvieron su tranco al verlo pasar ufano, certero y dignamente profesional. El abogado Rivas, que leía *Novedades* reclinado en la pared de su despacho, captó su deslizamiento de reojo y lo persiguió unos metros incrédulo.

—Salinas —le gritó al advertir que ya no lo alcanzaría sino arriesgando correr bajo el entusiasta sol.

El cartero se dio vuelta y golpeando con el pie el sucio empedrado quiso dar a entender que llevaba prisa.

—¿Trabajás? —exclamó Rivas, aún a algunos metros de distancia.

—Como de costumbre —replicó.

—Y qué llevás, ¿cartas o *moscas*? —susurró, guiñándole un ojo.

—Yo soy apolítico.

El abogado Rivas le dio un alegre golpe a la cartera.

—Mucha carambada dentro, ¿no?

—Toda clase de chunches y chereques, pues.

—¿Para mí no tenés nada?

Salinas evocó con la nitidez de un moribundo todas las veces que había vacilado entre filiar la carta para el doctor Rivas en la colección del gallinero o avanzar bajo el vertical sol del mediodía hasta su gabinete y padecer además la poco refrescante andanada de sus bromas. En todas las ocasiones, según había aprendido en el colegio, había optado por el camino más corto y económico.

—Lo primero que hago todos los días es ver si hay algo para usted, doctor. Que si lo hubiera, ya usted temprano lo tuviera.

El abogado arrugó las cejas. La ironía y la resignación lucharon en su mirada para definir el mejor método de inspección. Ambas combinadas resultaron eficaces, porque Salinas bajó la vista y comenzó a levantar polvo con la punta de su zapato como si buscase cavar un pozo donde sepultarse.

—Vamos a tener que comunicarle al capitán Flores cómo andan las cosas en correos y comunicaciones, pues.

—Avísele usted a Flores y a Somoza si gusta, doctor. El problema no es de los correos sino de la revolución.

—¡Qué revolución, hombre! ¿Tú crees que con una bala por aquí y otra por allá se hace una revolución? Hace falta contar con el apoyo del pueblo para triunfar.

—De política no entiendo —dijo Salinas impaciente.

—Somoza va a gobernar Nicaragua hasta el fin del siglo XX.

De pronto el abogado avanzó audaz su mano derecha, y cogiendo la barbilla del cartero, se la alzó y fue palpando la textura de su piel en la curva de la quijada. Salinas le cogió la muñeca y apartó la mano intrusa con decisión.

—Hombre —dijo el doctor Rivas—. No me digás que te afeitaste de una vez. Tenés la piel como teta de monja.

—Doctor —le dijo Salinas—, no me diga que lo que va a esta parte se nos ha vuelto maricón.

Los vecinos que curioseaban en la vereda de enfrente habían venido paulatinamente acercándose.

—¿Así que no tenés nada para mí? —concluyó Rivas limpiándose la frente con el pañuelo.

—No, doctor.

—Pues si tenés algo, me decís.

Cuando el doctor se dio vuelta, las mujeres le lanzaron sus miradas como perros enredándose en las piernas de sus dueños. En el primer peldaño las miradas lo hicieron tropezar y debió afirmarse en el marco de la puerta para no dar de nariz en el empedrado. Salinas prosiguió su marcha fingiendo un tranco eficiente y se dispuso a cruzar el sector de los buses rurales, bordear la estación, para enfilar por encima de los rieles hasta la avenida Debayle. Pero ya a la altura del Palacio Municipal pudo advertir que ninguna de las ancianas señoras testigos del diálogo con Rivas había desertado sus

espaldas. Con precaución que presentía lo que iba a ver, disminuyó el ritmo, se detuvo a los pocos metros y dio rápidamente vuelta el cuello. Entre niños, cesantes, mendigos, viejas y canillitas, calculó que lo seguía un grupo de veinte personas. Sin el menor disimulo, detuvieron la marcha como si la estelar mirada del cartero se los hubiera ordenado. Tuvo que trasladar de hombro el bolso, que desacostumbrado del trayecto comenzaba a conspirar con el sudor para infligir una futura llaga en el omóplato. «Eso que llevo una sola carta», filosofó, pasándose la lengua por los labios atrozmente secos. Lamentó no haber recogido del gallinero un antiguo sobre para la peluquería de don Chepe, donde las posibilidades de capturar una cerveza helada eran ciento por ciento más seguras.

Cuando Salinas dobló la esquina que lo puso directo en la calle de Victoria, pudo advertir sin necesidad de girar, que a sus espaldas había acumulado tantos acólitos como para organizar un desfile o una procesión. Venían dicharacheando y parecían dispuestos a seguir los pasos de Salinas donde éste los rumbeara, así fuera a pie hasta Managua. El cartero sintió que cada poro de su piel estaba obstruido por el sudor, un pegajoso acento que enfatizaba la rabia y crecía a medida que se acercaba a su destino. Finalmente la cólera lo desbordó y dándose vuelta, hizo gestos a la gente con las manos espantándolos como si fueran pollos.

—Está bueno, pues —gritó—. Ahora a ver si se derraman un poco.

El séquito se detuvo. Salinas volvió a hacer como si los estuviera barriendo:

—Ándenle, pues. Que si no, los denuncio a la Guardia.

—¿Por qué pues, don? ¿Qué es lo que hemos hecho? —preguntó una vieja, buscando apoyo en el resto del grupo de adláteres.

—Obstruir el camino de un funcionario público —se precipitó.

—¿De dónde aquí lo vamos a obstruir si vamos por detrás y usted va para adelante?

—La correspondencia es privada —dijo con voz pomposa—. A ninguno de ustedes le gustaría que le manosearan sus cartas.

—Principiando que ni sabíamos que llevara carta.

—Endenantes no se me meten adentro del bolsón.

—Que no ve que andamos tiendiando —repuso la vieja mostrando su bolsa de mallas. Las otras mujeres la imitaron, fijando la vista en el cartero, arreglándoselas para que llegara a su piel cual picotazos.

—Gallinas —dijo, lo suficientemente bajo como para que no lo oyeran, y dándose vuelta reanudó la marcha con un tranco inverosímil para el trópico. En un minuto avanzó casi dos cuadras distanciándose del enjambre de viejas y desocupados que se quedaron merodeando la esquina. Sólo los niños lo habían flanqueado dando saltos y haciendo acrobacias en el aire. Frente a la puerta de la casa de Victoria, temió que en su próximo salto el corazón le llenara la boca. Se puso la mano en el pecho y trató de calmar a ese perro descontrolado. Tuvo la espantosa sensación de que él mismo era

una ducha que chorreaba sobre el empedrado ese líquido salobre. Frotó la manga contra la frente, y haciendo un esfuerzo que le dio escozor hasta en las orejas, golpeó la puerta de la muchacha.

Como si su puño estuviera concertado con el picaporte, la figura de Vicky iluminó el dintel. Salinas se quedó frente a ella, temblando ante esa sonrisa que parecía venir creciendo como una catarata y ante esa lengua sabrosa que vino a pulsar con una enloquecedora gota de saliva sus labios sin *rouge*.

—¿Carta? —preguntó ella con su voz ronca, tallada, cincelada por todo su cuerpo.

—Carta —dijo Salinas sin oírse.

—¿Para mí? —dijo la chica.

—Para vos.

—¿De quién? —preguntó la muchacha.

En medio del hechizo, Salinas trajo la primera sílaba del nombre del muchacho hasta sus labios, pero se censuró doblando bruscamente el cuello hacia la tierra.

—Este... —dijo.

La muchacha esperó a que el sobre le fuera entregado, pero Salinas parecía enhiesto en su posición como si ambos estuvieran en un baile del liceo y él no fuera a soltarla hasta que el tema terminara.

—¿Me la podés pasar? —dijo ella.

—Sí, claro.

Introdujo la mano en el bolsón y no tuvo dificultades para extraer la única misiva repartida en los dos últimos meses. La depositó en la palma de ella.

—¿Son buenas noticias? —dijo la muchacha.

El cartero tuvo la certeza de que si alguien algún día lo conminara a definir un bochorno, recordaría el rojo hormigueo de su cara en ese momento.

—¡Te estás incendiando! —exclamó la Vicky.

«Es el calor», quiso decir Salinas, pero no pudo formular las palabras.

—Entrá a tomar una cerveza. —La muchacha lo había cogido de la mano y con fuerza cordial lo atrajo hacia el interior. Una vez allí los ojos buscaron acomodarse a la sombra.

—Hola, Salinas —dijo la voz de don Antonio.

—Buenas, don Antonio —replicó sin verlo, pero intuyéndolo hacia la izquierda.

—Vení a tomarte una cerveza.

El contacto del vaso frío fue un mástil al cual sujetar su vacilación. Bebió un largo sorbo, y luego trajo la lengua a recoger la saliva acunada en los labios. Dio vuelta el líquido en el vaso como si se tratara de mezclar hielo con whisky. Don Antonio apareció cada vez más nítido, y con la frescura del trago hasta el ruido de la calle tuvo un timbre más grato. Se percibía los pájaros trinando entre los gritos de los niños. Victoria se había acercado con el sobre a la ventana y lo observaba al contraluz, yendo de su apellido al remitente, y torciéndolo para intentar leer el timbre sobre la estampilla. Salinas terminó la cerveza empujando el vaso hasta ponerlo vertical sobre la línea de su garganta, y golpeó con él en la mesa al depositarlo.

—Gracias, don Antonio —dijo.

—¿No te quedás a platicar?

—Tengo que seguir el reparto.

Salinas fue hasta la muchacha y antes de hablarle se detuvo un segundo degustando la tibieza de su cuerpo. Sintió un mareo de sólo percibir cómo la luz hecha pelusilla de ese rayo de sol venía a posarse tan delicadamente en el lóbulo derecho del oído de la chica. Le parecía una leve túnica que lo incitaba a atravesarla y a rasgarla con los dientes para morder tenue esa oreja que admiraba desde el liceo, las fiestas adolescentes del barrio y las *matinées* del cine González, cuando en la disputada butaca detrás de ella, se concentraba con mayor fervor sobre la deslizante curva de su cuello que en los paseos ciclísticos de Katharine Ross en *Butch Cassidy y Sundance Kid*.

De pronto, la mirada de don Antonio había crecido entre ellos como una pared.

—¿Me acompañás a la puerta? —dijo.

Victoria se dio vuelta, puso la carta en el bolsillo de la falda, y dejando su mano allí dentro, fue con el cartero hacia la calle, trayendo los hombros hacia adelante con un gesto que a Salinas le pareció exquisitamente coreografiado. En la vereda, los niños se les acercaron y uno tiró de la falda de la muchacha.

—¿Era para vos? —preguntó con la mirada abriéndose trecho dificultuosamente entre la cara entierrada.

La chica tomó del codo a Salinas y lo fue acompañando camino de vuelta a la oficina. El cartero pudo percibir la perplejidad de las ancianas y los cesantes que lo habían perseguido hasta aquellas inmediaciones. Trató de definir cómo se iba sintiendo con esa presencia arrebatadora a su lado.

Y pronto, sin ser poeta, tuvo la imagen que precisaba su emoción. Supo que la voz le saldría rápida como un jilguero cuando hablara:

—Me siento un barrilete rojo que se le ha cortado el hilo y que va volando allá por el cielo —dijo tragando saliva.

—A ti también te ha dado por hablar raro —repuso Vicky abarcando con la mirada el espacio, diciéndole al viento, al sol, a los árboles, a la gente, aquí estoy yo con ustedes, soy de ustedes, me gustan como son, me gusta como soy gustando de ustedes, me gusta que yo a ustedes les guste, me gusta, me encanta, me fascina andar del brazo por la calle con Salinas, me gusta la curiosidad de las viejas que tuercen la vista para disimular que nos están destripando.

—Sublime —le dijo.

—Te pido un favor —interrumpió el cartero—. Llamame por mi apellido.

La muchacha puso su cabello sobre el hombro del cartero y anduvo un trecho así, con la mirada divertidamente diagonal sobre el empedrado. Salinas tuvo la sensación de que si en ese momento fuera emplazado por un alto tribunal a sentenciar cuál era en su concepto la gloria, respondería con la prontitud de un celaje: «esto».

—¿Sali? —murmuró la chica.

—¿Vicky? —repuso, untando con devoción el aire en esas dos sílabas.

—Si en este país las cosas cambian...

Salinas miró a sus espaldas y a la vereda de enfrente. La muchacha observó sus movimientos, hizo una pausa y prosiguió:

—¿Si en este país las cosas cambian, vos creés que me admitirán de vuelta en la universidad?

El cartero asintió con énfasis. Por primera vez las palabras llegaban a sus labios antes que el estupor. Un nuevo coraje lo llevó a calzar su brazo en la cintura de la chica, cuando dijo:

—Si Somoza cae, a vos te nombran decano.

Vicky lanzó una carcajada que le levantó los senos y Salinas percibió táctil ese temblor en el brazo con que le flanqueaba las costillas. La apretó un poquito más, y sonriendo le dijo:

—Pero pase lo que pase, no te casés.

—¿Y por qué no?

—Porque así seguís siendo así como sos.

—Es decir ¿cómo?

—Es decir la novia de todos nosotros.

8

La clientela de don Chepe no había disminuido ni siquiera durante la insurrección de septiembre, cuando tijereteó con pericia de cirujano alrededor de cincuenta melenas «Travolta», el setenta por ciento de ellas a crédito.

En octubre se le hizo presente la Guardia Nacional esgrimiendo estadísticas *confidenciales* (le repito) —que fueron el tema de debate esa noche en el balanceo de las mecedoras sobre las veredas—: algunos uniformes de soldados somocistas habían sido sustraídos de la lavandería de los cuarteles y el capitán Flores pedía al señor peluquero tener a bien proporcionar información a esa alta comandancia sobre aquellos jóvenes que durante el último tiempo —días, horas, semanas— habían optado por el fresco corte militar para capear los rigores del eterno verano.

—Aquí ninguno —dijo don Chepe escandalizado, exhibiendo en el *Cancionero Centroamericano* las fotos de los dos modelos populares durante la insurrección y secuelas: *comanche* a la Robert de Niro en *Taxi Driver* (cuatro casos), *Travolta* en

Brillantina (entre cuarenta y cincuenta) y *emplea-do de banco* (de siete a ocho).

Una semana más tarde había aparecido el mero capitán Flores de la EEBI en el frenético Chevrolet que manejaba el hijo de don Antonio, instalándose en una silla de paja al fondo de la peluquería mientras el artista de las tijeras firuleteaba un cambio de rumbo en la cabeza de un chico de quince años hasta dejarlo involuntariamente trasquilado a la «sioux» y no «crew cut» según su seco pedido. El capitán no aceptó ser rapado al instante, y con democrático gesto dio la venia para que el peluquero terminara con su paciente. Escrupuloso, cogió las grasientas ediciones de *Continental* y *Vanidades*, y no levantó la vista hasta que fue convocado al sillón por la reverencia operática de don Chepe que despachaba simultáneamente al indio más curioso de la comarca y desinfectaba la rasuradora con un litro de ostentoso alcohol. Un paseo de la vista por el local, le reveló a Flores que el resto de la clientela se había abierto como fuelle desvencijado. Accedió hasta la silla oficial, y puso el quepis sobre sus propias rodillas permitiendo que su fresco corte americano luciera tan flamante cual impecable. Ése fue el segundo en que el peluquero presintió que si el médico lo atara con el aparato para medir la presión sanguínea, éste explotaría como un vulgar globo de cumpleaños. El capitán puso aparte los mohosos ejemplares de las revistas e hizo mover a izquierda y derecha la silla giratoria. Después se impulsó sobre el eje haciéndola subir un par de centímetros con ese único esfuerzo.

—La telaraña —susurró, hundiendo la barbilla sobre sus medallas y ensartando al peluquero con sus ojos.

Más el instinto de sobrevivencia que la urbanidad le avisó a don Chepe que debía ofrendar a su inédito cliente la más cordial e inocente de sus sonrisas.

—¿Mi capitán?

—La telaraña —repitió éste.

Atónito, el peluquero examinó la gastada pero pulcra superficie de su sillón de trabajo, y al no advertir nada raro, recorrió con una sonrisa a medias tintas entre el candor y el susto los bordes esquineros del local a ver qué normas, tal vez, de la higiene pública, había contrariado con su desidia.

—¿Capitán? —preguntó con voz chiquita.

El uniformado había cogido el quepis de su falda, lo había hecho bailar alrededor de su índice durante exactos diez segundos —el tiempo ritual que cuenta el árbitro al boxeador KO— y antes de salir de la habitación para trepar al auto, dijo:

—La telaraña, pues. A tu boliche le dicen «la telaraña».

Don Chepe surgió de la bruma que levantó el coche al partir y con los ojos ardientes de bencina cruzó a ciegas la calle rumbo al hogar de Ignacio. La puerta, según la costumbre, estaba libre, y el joven sostenía entre sus codos una trenza de lana que su madre iba ovillando. Sobre las rodillas del chico había un tocacasetes a batería y justo sonaba con volumen discreto *Flor de pino* por Carlos Mejía Godoy y los de Palacagüina. Embebidos en el vals, ninguno pareció atender a la intromisión del peluquero, pero éste tuvo que corregir esa idea cuando el joven le dijo sin mirarlo:

—¿Qué te trae, pues?

—Estuvo el capitán Flores en el negocio.

Don Chepe se reservó una pausa tan jadeante como prometedora.

—¿Lo degollaste? —preguntó Ignacio rascándose la nariz.

—Más vale que me escuchés.

—Por qué no se sienta, pues —dijo la madre.

El peluquero ni siquiera oyó la invitación. Vino hacia el joven, y arrodillándose, le planteó en un murmullo:

—Estuvo un rato, leyó unas revistas, y ya luego se fue. Pero antes de partir, ¿sabés qué dijo?

—¿Qué?

—La telaraña.

—¿La telaraña?

—Sí, pues. Lo dijo dos veces. Y antes de subirse al auto dio vuelta la gorra en el índice, como un remolino, me miró hasta el tuétano de los huesos y me dijo: «La telaraña. A tu boliche le llaman *la telaraña*.»

Con dos expertas sacudidas de las muñecas, Ignacio puso fin al vals de la lana y apretó la tecla que interrumpiría el ensoñado ritmo de Mejía Godoy.

—¿Tenés algo de dinero? —preguntó levantándose.

El peluquero, aún de rodillas, se rascó la oreja.

—Pues, sí. ¿Por qué?

—Bueno —dijo el joven—. Volvés ya al local, bajás la cortina metálica y te vas donde tu hermanita a Managua. Mejor todavía si conocés a alguien en Miami.

La madre pareció oír el hondo estupor en la sístole del peluquero e insistió sonriendo:

—Tome asiento, René.

Don Chepe apuró un «no, gracias» y se dejó conducir por el abrazo del chico hasta la puerta de calle.

—¿Sabés lo que es una metáfora?

—De saberlo, pues lo sé. Pero de saberlo bien, no sé. —Hizo una pausa—. ¿Es peligroso?

—Una metáfora es cuando uno quiere decir una cosa por otra, ¿entendés?

—Dame un ejemplo.

—Bueno. Si vos decías «el cielo está llorando», ¿qué es lo que querés decir?

—¡Hombre! ¡Que llueve, pues!

—Y si te dicen que a tu boliche lo llaman *la telaraña*, ¿qué quieren decir entonces?

Don Chepe se dejó consumir por la perplejidad. Su mandíbula había caído. Era un signo de interrogación casi físico lo que le colgaba de la barbilla. Comparado con él, un muro parecía más lúcido.

—No pues. No adivino.

Sin aflojar el codo del peluquero, Ignacio lo trajo hasta la vereda.

—Le dicen *la telaraña* porque ahí caen todas las *moscas*.

Pasaron dos autos brincando sobre el empedrado antes de que don Chepe recuperara el habla. Un frío meticuloso se le fue abriendo desde la columna hasta la piel.

—Estás pálido —le comentó el muchacho.

—Si por fuera estoy pálido, por dentro ando lívido —dijo el peluquero, ausentando con aire fúnebre la vista en el ocaso de la calle.

—¿Dónde aprendiste esos adjetivos? —dijo Ignacio, despertándolo para que se moviera.

—En Darío, hombre, en Darío.

La peluquería estuvo cerrada durante mes y medio. Don Chepe sostuvo tertulias con su hermana en Managua, que al tercer día comenzaron a hacerse interminables. Acostumbrado a una variedad arrebatada de interlocutores —pacientes, se los llamaba don Antonio— la reiterada lengua de la Matilde le resultó soporífera. Al cuarto día estuvo dando vueltas por la ciudad. Al caer la tarde se desataron los tiros y el ladrido de los perros. Brotados de la tierra, caídos de los árboles, decenas de sandinistas avanzaban a balazos rumbo al cuartel. Respiró hondo tres veces para prevenir el infarto, y de prisa giró para volver a casa. No bien había torcido en la primera esquina, cuando vio venir un Sherman de la Guardia Nacional que le pareció con el cañón erecto apuntando su precisa frente. Sin dar un paso, absurdamente protegido en su propio terror, fue testigo del tanque trasmontando una barrera, y de una severa emisión de chispas y estruendos, que con más alboroto que puntería, hizo añicos el frontis de una fábrica textil. Al segundo pasó a un metro de él —«rozándome» contaría más tarde— la bala de un guerrillero que desde algún tejado intentaba distraer los objetivos del Sherman. Metióse en el zaguán de una casa, y acurrucado quiso esperar a que el fuego cesase. Al cabo de media hora se había convencido de que la acción iba a durar más de lo previsto, y adjunto a los muros, incursionando los estrechos dinteles durante los episodios más estridentes, corrió con las arterias incendiadas de vuelta a lo de Matilde. Cuando se echó jadeante sobre el sillón de mimbre exigiendo de su hermana un modesto trago de guaro y ésta —jactándose— le recordó que era abstemia, decidió que al día siguiente volvería a León.

—Allá me disparan metáforas, aquí balas —fue la insomne conclusión de sus silogismos.

9

Mientras su padre recorría la nave de la iglesia San Juan de Dios castigando las baldosas, Agustín se puso bajo uno de los ventiladores que desde el techo rumiaban su derrota contra el pegajoso calor. Más que refrescar, la brisa confundía los aromas de flores marchitas, esperma, madera, hábitos e incienso. Acostumbrado a las modernas simetrías del cuartel, le llamó la atención que cada uno de los cuatro enormes abanicos tuvieran una forma y estilo diferente. «Así se hace todo en Nicaragua», le había dicho una vez el capitán. «Nuestra grandeza se consiguió de pequeñas cosas. Juntando enanos con pigmeos hicimos un ejército. Y con un buen ejército un gobierno fuerte.» Antonio impaciente fue hasta la caseta del confesionario y golpeó la ventanilla del lado libre. El cura deshizo su postura sobre el flanco donde confesaba a la mujer joven inéditamente perfumada, lamentando abandonar esos prolegómenos que hasta el segundo de la interrupción podrían ser perfectamente tanto un atentado contra la Guardia Nacional como un adulterio, y con fastidio abrió la puertecilla opuesta a esa caja de ingenuidades y escándalos que debía administrar autoaplicándose templanza cada día para vencer el tedio y la somnolencia. Una vez que don Chepe vino a confesar que se había permitido conservar la billetera de un cliente deslizada sobre el sillón de su negocio, lo había cortado con ronco aliento a través de la rejilla: «Haceme el favor, Chepe, si no tenés nada interesante que confesar, inventame algo que estoy que me caigo de sueño.»

—¿Qué querés? —le dijo a Antonio.

—Hablarle, pues, padre Pedro.

—Rezate un par de *Padre Nuestros* que ya no tardo —dijo, y abriendo la rendija del lado izquierdo se dejó bañar por la lozanía de ese aroma que lo ponía otra vez en la tensión de los antecedentes como la música ambiental de un film.

—¿Idiay? —invitó a la dama, suspirando hondamente su olor.

Antonio vino hasta el centro de la nave, hurgó una vez más en dirección a la caseta, y con renovada impaciencia, se dejó caer en el extremo de la hilera de bancas. Entonces fue Agustín a merodear el confesionario, y con el oído a medias alerta al susurro de la mujer, estudió la estatuilla de San Antonio tratando de entender qué representaba ese hombre de hábitos marrón con un niño en brazos, otro a sus pies en actitud de suplicarle, y él mismo, ausente de ambos, clavando la mirada a través de la caja de vidrio sobre el visitante de turno. Abajo había un cartel con letra que su hermana le había enseñado a llamar *gótica* («con esta caligrafía voy a escribir mis recetas, no seré como los otros dentistas que confunden las aspirinas con los elefantes») y una flecha hacia la puerta de salida que indicaba: «Cursillos de Cristiandad, secretariado». Estuvo algunos minutos allí, entretenido en el parpadear de esas velas que las solteronas habían ofrendado para ganarse los oficios celestiales del amable santo.

Cuando la dama de aroma distinguido terminó de confesarse, el padre Pedro no pudo resistir asomarse y formarse aunque fuera una menguada imagen de su desplazamiento. Antonio atravesó su campo visual haciéndole señas, como quien despide un barco en el puerto. Resignado, el cura abandonó la caseta doblando su paño sacramental —el babero, lo llamaba— y avanzó con energía donde el hombre. Éste, alerta a la embestida, desvió la atención del cura esgrimiendo un tenso índice hacia el hijo. Perplejo, Agustín pudo ver que la energía del sacerdote no se mitigaba en absoluto cuando estuvo tan junto a él que las faldas de su túnica le rozaron los zapatos.

—¿Qué te pasa?

Agustín se encogió de hombros y atisbó por el costado de la oreja del cura a Antonio que los vigilaba distante.

—El viejo me trajo.

—¿Idiay?

Torciendo el cuello, el padre le hizo un gesto a Antonio de que hablara.

—Este baboso está de soldado de Somoza.

—¡Callate! —le gritó el cura. Dio una rápida

vuelta circular sobre el ámbito de la iglesia—. Callate —repitió más tranquilo.

Se acomodó la sotana tirándola del pecho y agitó las faldas echándose aire en las entrepiernas. Luego cogió a Agustín del codo y lo fue transportando por la flaca nave central rumbo al púlpito.

—¿Qué hacés vos metido ahí, cabrón? —le sopló en la oreja.

—El viejo no entiende, padre. Yo no estoy en la represión. El próximo año me mandan a estudiar a Estados Unidos y ahí...

—¡Ahí te vas a doctorar de pendejo!

Agustín resistió los impulsos del padre, como una de las pilastras de yeso o las vigas de madera que se cruzaban en la bóveda. Se imaginó al cura uno de esos boxeadores panameños de escaso aguante y nervioso punch que buscan el KO al primer round. Volteó el cuello y pudo ver a su papá acechante detenido a algunos metros, a la misma distancia que las damitas de honor solían cargar el tul de la novia en las bodas.

—Cuál es el problema, muchacho —dijo el cura, empujándolo un poco destino al altar, hasta que la rigidez de Agustín cedió en parte y aceptó seguir la marcha.

—Yo estoy bien en la escuela, padre. Soy el único de la familia que trae dinero a la casa, ¿usted sabe?

—No sabía, pues.

—Y ahora...

El cura se detuvo esperando la continuación de las palabras. Agustín se fregó la frente y quiso unir ambas cejas presionándolas hacia el tabique de la nariz.

—Ahora quiere que deserte —afirmó, y penetró decididamente con su mirada los ojos grises del sacerdote. Éste le pareció distante e inconmovible como un velero visto desde la playa.

—¿Y qué estás esperando? —dijo finalmente—. O te gustan los uniformes, las medallas y todas esas babosadas.

El joven se deshizo de la mano del sacerdote que aún aferraba su codo. Le habló con la quijada altanera:

—Padre, ¿usted sabe lo que significa desertar?

El cura se acarició la muñeca del brazo rechazado y apretó el codo del chico sin atisbo de delicadeza. Agustín se sintió en el aire, hasta que se detuvieron detrás del altar. Allí el sacerdote levantó la cortina, que con gruesos flecos dorados cerraba la mesa de las ofrendas, y como en las apariciones de los sueños, surgió arrodillado Ignacio con el Garand apuntándolos. El padre Pedro mantuvo el cortinaje en alto, la mirada superior de comerciante turco que exhibe su mercadería, y con la barbilla y las cejas alzadas exigió un comentario del muchacho. Al advertir que Agustín palidecía, dejó caer el grave género púrpura y dijo, mirándolo por sobre el hombro:

—Qué calor, ¿no?

Se venteó otra vez los muslos con la sotana, en un gesto que el atónito Agustín ya alcanzaba a definir como característico, y fue con ritmo mordaz hacia el padre. Allí se encogió de hombros, y permitiéndose una leve mirada a la retaguardia, señaló con la barbilla a Agustín casi diciendo: «ahí lo tiene, se lo regalo».

Agustín rumbeó hacia la pila de agua bendita, la nuca doblegada por embriones de ideas, de gestos, de sílabas y nombres contra los cuales tropezaba como con muebles en una pieza oscura.

—¿Bueno? —dijo Antonio.

Intuyendo que si mantenía la vista en su progenitor la más breve fracción de tiempo —lo que demora una espada en trizar un corazón, lo que tarda un globo en reventar bajo la uña de un niño, el espacio que media entre el pinchazo de la rosa y la sangre en el pulgar— las lágrimas lo cubrirían inoportunas, se refugió en sus manos ásperas, y sin mirar al hombre dijo:

—Tengo que pensarlo, viejo.

Don Antonio puso las manos en los bolsillos de su chaqueta de lino y salió del templo. Sin prestar atención al contorno, fue avanzando por la Calle 1 hasta doblar la esquina.

10

Amor, amor, amor. ¡Ayudame a decir amor!

Pienso en vos. Todas las cosas convergen en vos. Sos algo fino y transparente que envuelve mi vida. Sos como una música que me sigue a todas partes. Recuerdo los bailes del colegio, y veo mi cabeza apoyada en tu mejilla, incapaz de decirte una palabra, enmudecido de amor por vos, angustiado de amor por vos. Amor, amor, ayudame a decir amor. Anoche oí la radio Reloj con mi transistor pegado a la oreja mientras los compas se dedicaban a mirar las estrellas. Tocaron temas viejitos. Viejitos pero buenos, dijo el locutor: *Tú serás mi baby*, *El cacharrito*, *Carta fatal*, *Venecia sin ti*. Las canciones que le gustaban a tu papá y que oíamos desde el patio de tu casa cuando yo te visitaba y él reparaba el mimeógrafo que te «prestaste» de la Escuela Dental. ¿Cómo van tus estudios, reina? Yo siempre hablándote de cosas acarameladas, de lo que siento aquí, de lo que sufro allá, y nunca te pregunto de las cosas prácticas. ¿Te fijás que ahora el mundo anda al revés? Al vesre, como decía el Ché. Resulta que vos sos la práctica y yo el romántico. Cuando triunfemos no sé cómo voy a mantenerme. Dicen los compas que el problema de la cesantía no lo arreglamos de un año para otro y ni siquiera en un lustro. Lo otro sería hacerse militar. Dicen que van a disolver la Guardia y formar un Ejército Sandinista. ¡Nosotros vamos a ser el ejército oficial de Nicaragua! Imaginate: en nuestro grupo tenemos un comandante de quince años. Muchos pasaron de encumbrar barriletes y enrollar la piola del trompo a la guerra. Pero yo no me voy a quedar en el ejército. Ni aunque me nombren general. Aquí llego hasta que Somoza se vaya y más después me gustaría volver a la Universidad. No sé si a estudiar, porque cuando pienso en la universidad lo único que veo es el café de la Facultad. Me gustaría pasarme el resto de la vida sentado en una mesa del café fumando tabaco negro, mirando como te echás el pelo atrás con tu mano sin anillos, sin pulseras, tus uñas sin pintar y sin embargo vos toda tan luminosa ahí al lado del café aguado del casino, del triste pan que vos mordisqueabas y que yo lo hacía migas para golpearlas con la uña contra mi palma, aguardando una palabra inspirada que te sedujera, una expresión de mi cuerpo que te resultara atrayente, hasta que el recreo se esfumaba con el calor de la taza, vos volvías a Fisiología, a Psicología General, a Estadística, y yo, pues, libraba de mi presencia al profesor de Derecho Romano, al de Economía Política, al de Constitución, y me quedaba complotando con los muchachos en el bar. ¿Te acordás que tu papá me decía revolucionario de café? ¡Me gustaría verle la cara ahora! Decime, pues, qué va a decir tu viejo cuando sepa que me descuelgo como un mono de las montañas. Ya le podés contar que estuve en la ocupación de Masaya en septiembre. ¿Te lo dije en mi carta anterior? ¿Te llegó siquiera mi carta anterior? Ayer pensaba: si no la recibió, ¿qué culpa tiene ella? Es que estaba enojado con vos. De baboso que soy. Si me la querías contestar, ¿a qué dirección? Para que la sepás y podás responderme ahora mismo te la doy: «Sargento Poeta Leonel, inmediaciones de Granada, Sierras de Nindirí, debajo de la Vía Láctea, dirección diagonal al Lucero del Alba, a cinco metros de un nido de quetzales al parecer llegados del llano de Ochomogo, y entre dos matorrales que cuchichean cuando sopla el viento.»

Cuando triunfemos... Ahora que lo escribo otra vez, me doy cuenta de que es la frase que más usamos. Debiera haber un mes que se llamara así. ¿Te imaginás? Noviembre, Diciembre, Cuando-triunfemos.

No es fácil la vida aquí. Sé que en León la Guardia les hace la vida imposible. No es fácil ni aquí ni allá, pues. Hace un mes llegó un niño de Subtiaba. Demasiado joven para que lo conozcás. Dice que escapó de un cateo. Sacaron a todos los muchachos mayores de quince hacia la Guadalupe y los mataron contra un paredón del cementerio. Su viejo le dijo que se viniera. Que se fuese para aquí y que nos buscara, pues. Raro, ¿no? Es más posible sobrevivir luchando contra Somoza que esperando que llegue la Guardia Nacional a matarte a tu casa. ¿Te conté que en Masaya entraron en septiembre arrasando con la población? Es que ahí todo el mundo es del Frente. No sólo nosotros. En Masaya nos decían: «Somos sandinistas, aunque el Frente no lo quiera.» Nos dejaron tomar posiciones en cada rincón de la ciudad. En medio de los disparos nos traían yuca frita o una limonada. El domingo por la mañana atacamos el cuartel donde estaba concentrada la Guardia Nacional, y entre tanto la gente del pueblo se organizó para detener los vehículos que venían hacia la ciudad. La noche de ese domingo se fue la luz. Si se va la luz, seguro se va a ir el agua, dijeron. Llenaron los baldes, las ollas y las bañeras. Al día siguiente no había agua, pero nosotros sí teníamos. Sabían ellos más de táctica que los militares. Cuando nos tiraron todo el arsenal encima, nos tuvimos que retirar. Los jóvenes se fueron con nosotros, pero los viejos se quedaron. ¿A nosotros qué nos va a pasar?, dijeron. Pero trajeron contra los ancianos y las mujeres cinco helicópteros, tanquetas y ametralladoras. Quemaron todo el comercio. Mataron alrededor de quinientas personas.

El comandante me dijo: «Si te gusta escribir, pues llevá la lista de los compañeros que van cayendo.»

Cuando triunfemos... Cuando triunfemos yo tendré que escribirles a sus familiares, averiguar sus nombres verdaderos y sus direcciones, escarbar sus pueblos natales... A veces anoto algún rasgo de la piel, un lunar en la cara, una cicatriz en el cuello. Pero ésos son los compañeros que yo miro con mis propios ojos. De otros me cuentan. Se llamaba Miguel, me dicen. Decía que era de Masaya, pero tal vez si decían que era de Masaya es que era de Rivas. Aquí todos son superclandestinos. Cuando triunfemos me iré del ejército... No sirvo para esto, Vicky. En medio de la acción ni me acuerdo de mi nombre, no sé cómo atravieso una calle en cuclillas bajo metralla tupida. No alcanzo a sentir miedo porque todo me agarra en un torbellino. Es igual que si fuera con los muchachos metido en una misma ola estallando sobre las rocas, llevándolo todo por delante. Lo que me duele es esto. Las noches con mi libreta de difuntos, y entre ellos, mis poemas que no se acaban sino cuando el día borra también las estrellas. Trato de escribir las cosas tal cual me van llegando. No quiero usar ornamentos, retortas, metaforones ni símbolos raros. Me gustaría que las palabras estuvieran tan natural en las páginas como el arma en las manos de los compas, como la humedad en tus labios. Me gusta cómo escribe el padre Cardenal que con todo hace poema: hasta la palabra Somoza suena cuando él la agarra, y los carteles de la ESSO, y las propagandas de la KODAK. Aquí no tenemos muchas cosas: lo que más hay es barro. Es todo el tiempo como si Dios acabara de soplarnos. Si escribiera un poema realista tendría que usar la palabra *serpiente*, la palabra *lagarto*, porque así nos arrastramos. Usaría mucho la palabra pájaro, pero en León nunca los oí. No sé distinguir ni a las chorchitas del martín pescador o del arrocero. Los muchachos de la zona en cambio en cualquier trozo de hierba se sienten en su casa. Es como si odiaran las paredes. Ya las calles de los pueblos los asfixian.

¿Sabés lo que me gustaría tener ahora?

Un espejo.

Te juro que ya ni me acuerdo cómo era. ¿Vos guardás algún rasgo de mí? ¿Alguna vez te gustó algo de mi personalidad? ¿De mi cara? Me acuerdo que te dejabas besar con los ojos cerrados, y cuando yo a manotazos con las palabras alababa desde tu frente a las pequeñas uñas que brotaban de tus sandalias, vos nunca me dijiste ni una cosa amable: ¿Siempre has sido tan práctica? No me entendás mal. Yo no digo que seás fría, porque aún laten en mis yemas las pulsaciones de esa vena tuya alzada en tu cuello, y tu mejilla en llamas, y tu lengua enredándose tibia como un ave entre mis dientes. Pero vos siempre eras la sinopsis de un gran film que nunca se exhibía en ninguna parte. Alguna vez palpé tus muslos, pero nunca pude realmente acariciártelos. Me hacías sentir que competía con toda la Vía Láctea para estar a tu lado: con tus enamorados de infancia, con los ayudantes de la Facultad, con tu hermano que te cuidaba y que a tu lado se veía como un lazarillo, con tu viejo y sus sermones sandinistas que tardaban más que la noche en apagarse, con tus libros de odontología y tus placas de yeso que traficabas de un aula a otra metidas en tu bolso de Masaya entre sandwiches y cartones de leche.

¿Qué pensás de mí, Vicky? Por ejemplo, si me apareciera mágicamente en tu pieza traído por un sueño, ¿me agarrarías lentamente del cuello con tus pequeñas garritas, sacarías tus breves brazos de entre las sábanas y traerías despacito mi boca hasta tus labios?

¡Hombre, esta noche corta el aliento!

Mucho calor. Los pájaros se han callado. A mi lado el comandante fuma. Los coyotes parecen hablarse con aullidos largos. El techo de mi mansión de ceibas me tapa la luna. Mañana intentaremos avanzar hacia Jinotepe. Llegarán fuerzas de otros lados. Algo grande se prepara. Te beso súbitamente triste y muy solo a pesar de todo.

11

Don Chepe cuenta que Ignacio estuvo tres días escondido en el patio trasero de la peluquería, en la casucha para herramientas —en su mayor parte oxidadas— hasta que le trajeron la *mosca* de que tenía que unirse a los muchachos en el frente de Chinandega.

El cura habría confesado en interrogatorio que el tal ciudadano Ignacio Ortega había dejado de concurrir a su templo aproximadamente hacía tres años, cuando fue endemoniado por las ideas del sandinocomunismo. En las actas del sargento Cifuentes —quien le dijo: «perdón, padre», cuando le apagaba el cigarrillo en el dorso de la mano derecha— consta que el sacerdote Pedro Muzuraga ha oído en su oficio de confesor ideas adversas al gobierno, pero que nunca —sin perjurio— oyó de nadie de los fieles de su parroquia que hubiera participado en atentados terroristas, y que se inclina a creer que éstos son perpetrados por elementos ajenos a la idiosincrasia del pueblo, presumiblemente castrosandinocomunistas.

El capitán Flores fue encargado por el Chigüin

de poner mano dura y disciplina en la culta ciudad de León y en lo posible de capturar vivo a un tal Ignacio Ortega, pues es posible que no sólo tenga información sobre la insurrección de los leoneses, sino —según su oreja de fidelidad acreditada— que sea contacto con el frente de Chinandega.

Salinas, de nombre Sublime, profesión cartero, natural de León, le confesó a la ex estudiante de Odontología, Vicky Menor, que desde hacía aproximadamente dos semanas Ignacio Ortega no visitaba su despacho de correos, y que el abogado Rivas —declarado oreja del Régimen— le había preguntado mirándolo largo, pero muy largo rato a los ojos si el tal Ignacio Ortega había dejado de venir al correo y que cuál, a juicio suyo, podría ser el posible motivo si lo hubiera.

El mayor Anastasio Somoza —apodado Chigüin— se hizo presente en el preciso Teatro Municipal y, acompañado por el capitán Flores, avanzaron hasta el grifo donde se sabe fue hecha detonar la bomba que voló el jeep de la Guardia Nacional ocasionando la baja de tres leales oficiales del Régimen. El mayor Chigüin encareció al capitán Flores delante de la tropa que los protegía con sus Garand, la captura de todo joven mayor de trece años del cual cupiera la más leve sospecha de colaboración con el sandinocomunismo y, en caso de confirmarse la duda, su inmediata ejecución en la puerta de su respectivo domicilio. Con tono altanero que hizo enrojecer la tensa yugular del capitán Flores, el Chigüin le habría recordado que desde que le encargara la captura de Ignacio Ortega, el otrora eficiente capitán Flores no había producido las novedades anheladas. «Cuando le escribás a tu familia les das mis saludos, pues», concluyó con un brillo maligno que cortó la respiración del capitán.

Según Myriam Herrera Pérez, hermana de Marta Herrera Pérez, ex Miss León, juvenil y simpática personalidad, el joven Ignacio Ortega no se cuenta en el selecto círculo de sus amistades, y mal podría haberle dado alojamiento en la casa de su señora madre como se dice se cuenta y se afirma. Presente la Guardia Nacional en el domicilio de la señorita Myriam no se encontraron evidencias de la presencia en la casa de seres de sexo masculino. Sólo cartas sentimentales del ciudadano Tico Antonio Iglesias, pero dirigidas a Marta y no a la susodicha Myriam.

Un civil avecindado discretamente al domicilio de doña Edelmira viuda de Ortega, madre del sospechoso Ignacio Ortega, informa que tras sus diálogos con la mentada, puede declarar a la jefatura de León lo siguiente: que la señora Ortega ignora dónde está su hijo Ignacio de 20 años, que ignora también dónde están sus hijos Ramón, de 18, Ernesto, de 17, César, de 15 y Daniel, de 14 —pero que presume puedan encontrarse en algún lugar del territorio nicaragüense, probablemente Managua, ya que allí tienen familiares—. Consultada sobre la dirección de dichos parientes, declara haberla olvidado. Atribuye esta amnesia a su avanzada edad, ya que según afirma comenzó a parir demasiado tarde. Este informante constata que no hay otro habitante en la casa al cual recurrir para obtener los datos requeridos en ninguna de las modalidades que señala el formulario. Una somera inspección visual de las habitaciones, no obstante, permite colegir que dichos jóvenes vivieron en aquella casa hasta cosa de una semana, pues no hay atmósfera de habitación largamente abandonada. En el cuarto del sospechoso Ignacio Ortega no se encontraba material de lectura contradictorio con los intereses del estado democrático. Pero no escapó a este funcionario el hecho de que en carátulas de discos clásicos de Brahms, Mozart y Mantovani, se encontraran grabaciones de los conjuntos chilenos Quilapayún, Intillimani, y un long-play completo con títulos sandinocomunistas del nicaragüense Carlos Mejía Godoy y los de Palacagüina. Estos hechos no permiten directamente concluir que el joven Ignacio Ortega haya sido el autor del atentado con bomba que costó la vida de tres funcionarios de la Guardia Nacional y la pérdida irremediable de un jeep equipado con moderno sistema de radio, pero son indicios suficientes para afirmar que: a) el joven Ortega, por sus afinidades musicales, podría llegar a cometer un acto criminal y quizá ya lo cometió, b) el joven Ortega desapareció de su hogar más o menos —para no decir «exactamente»— el día en que el luctuoso atentado terrorista conmovió a la ciudadanía de León, c) que el resto de la familia —constituida por otros cuatro jóvenes en edad crítica— en parecida fecha hizo abandono del seno materno temerosos de las posibles represalias contra ellos antes o después de esta diligencia. Método: se recomienda someter a interrogatorio —y en caso propicio a prisión— a todo joven mayor de 15 años que pudiera tener oculto a un miembro de la familia Ortega en su domicilio. Este servidor estima que encontrando a uno de ellos, por los evidentes lazos ideológicos y carnales que los unen, no se tardaría en hallar al resto. Respecto al tratamiento especial a doña Edelmira, el suscrito informante lo desaconseja por la visible avanzada edad de la mujer y por su enfermedad que en sus propias palabras consiste en: *una opromisión aquí en el pecho, que me aturuga la respiración.* Consultado el médico de bienestar de este servicio señala que no es posible determinar con este solo antecedente la enfermedad de la paciente, pero recomienda abstenerse también de tratamientos especiales ya que la susodicha «opromisión» puede ser desde una disnea dolorosa por traumotórax, o una pleuresía, pasando por trastornos bulbares, uremia, estreñimiento pertinaz, hasta hepatitis. Sin otro particular, saluda atentamente a su señoría,

MINOLTA.

Según los croquis adjuntos que se extienden por abajo hasta el reparto Paraíso, Cementerio Guadalupe, y hacia arriba hasta la iglesia de San Sebastián, por donde se vio huir al joven causante del atentado, caben sólo las posibilidades de que éste se hubiera ocultado en una de las casas comprendidas entre ambos sectores o que hubiese buscado refugio en algún lugar secreto del cementerio. Las patrullas dan cuenta que hubo inspección minuciosa de todas las habitaciones eventualmente implicadas minutos —por no decir segundos— después de ocurrido el hecho luctuoso, sin que ésta arrojara el menor resultado. Cabe señalar que se aplicó aquí también la drástica medida de fusilar a un joven en la puerta de su casa siguiendo al pie de la letra las instrucciones emanadas del estado de sitio. A pesar de que este incidente no cambió la indisposición del vecindario a colaborar, no se extremó la medida para no castigar en exceso a un sector social donde contamos con una minoría que nos apoya, y que pudiera, por razones sentimentales, apartarse de nuestra causa. La hipótesis dos, que concierne a un eventual refugio en el cementerio, fue rechazada por unanimidad por todos los oficiales que intervinieron en la operación, ya que habiendo sido usado y abusado por elementos terroristas en el pasado inmediato, tras el correctivo ejemplar aplicado hace escasos meses ha dejado de ser sitio seguro aunque fuera para escondites esporádicos.

El civil Jorge Alfaro ha encontrado en una de las operaciones de cateo un mapa de León donde el tramo que va desde la Catedral hasta más allá del Comando aparece descrito con minuciosidad caligráfica. Sorprendentemente se fija la altura de los edificios, desde el cine González hasta la del Penal 21. El civil Alfaro atribuye, primero, al azar el haber hurgado en un rollo de este tipo, y segundo, a cierta intuición —que no acierta a precisar— el hecho de hacer llegar dicho mapa a la Alta Comandatura para que se haga cargo de él, si la Alta Comandatura lo estima procedente. El civil Alfaro, tomando una espontánea iniciativa que este departamento ha estado presto a agradecer, se hizo presente una vez más en la casa donde fuera hallado el curioso mapa para procurar obtener información adicional sobre el objeto de autos. El inmueble pertenece a don Salvador Ramírez, antiguo habitante de esta localidad y padre de Plutarco Ramírez, de profesión bombero, conocido en el barrio como D'Artagnan, nombre que no tiene relación con apodos clandestinos, sino que define su extravagante bigote que recuerda ya sea al pintor surrealista Dalí o al mosquetero homónimo. La conversación con el señor Ramírez transcurrió plácida y no hubo en su voz sobresalto cuando el civil Alfaro planteó abruptamente la función del plano de la ciudad de León que procedió a desenrollar de la banda elástica que lo oprimía. El señor Ramírez admiró la caligrafía y finura del trazo, concluyendo, sin que se lo presionara a ello, que tal mapa no podía provenir sino de la dotada mano de su hijo, el dicho bombero Plutarco Ramírez. Invitado cortésmente el señor Ramírez a juzgar por qué su hijo tendría un tan preciso mapa —*autoconfesionado*— de la ciudad, se limitó a responder que desde pequeño Plutarco había mostrado marcada predilección por la geografía, obteniendo la más alta calificación en dicha materia. Con ternura —que al licenciado Alfaro no le pareció fingida— evocó los tiempos de primaria de su hijo y en especial cómo sus modestas mesadas las consumía en reglas, compases, escuadras y lápices Faber N.º 2, con los cuales ejecutaba toda clase de figuras geométricas. El diálogo concluyó cuando ambos alabaron una vez más la fina descripción de la ciudad conseguida en el plano de Plutarco. Como es de suyo sospechoso que un ciudadano común y corriente posea ese don de observación y lo plasme en un documento cuya finalidad no parece agotarse en el simple ejercicio de un talento geográfico-geométrico, el civil Alfaro sugiere en carta a la jefatura —y al capitán Flores de la EEBI— que se investigue al susodicho Plutarco Ramírez con toda la discreción del caso.

El señor bombero, don Plutarco Ramírez, escribió una carta que entregó personalmente —para evitar la huelga de correos— en el Comando de la Guardia Nacional. El portador exigió ser transportado hasta alguien con autoridad invocando su rango de bombero de la patria y la seriedad del asunto que traía. Complacido en sus deseos, fue conducido hasta la oficina del teniente don Gonzalo Ebers. Allí sostuvo el siguiente diálogo, que reconstituimos en versión grabada en la máquina a casete Philips de esta repartición:

SEÑOR PLUTARCO RAMÍREZ (en lo sucesivo llamado para los efectos de la transcripción RAMÍREZ): —Señor Teniente. Tengo algo grave que denunciar, y siendo yo hombre de labia parca, le pido autorización para leer en su presencia esta carta redactada con ayuda de personas cultas y de confianza.

SEÑOR TENIENTE DON GONZALO EBERS (en lo sucesivo llamado para los efectos de la transcripción TENIENTE EBERS): —¿Es muy larga?

RAMÍREZ: —Una página, pues.

TENIENTE EBERS: —Leela, entonces.

RAMÍREZ: —«Ciudad de León, 25 de mayo...»

TENIENTE EBERS: —Eso te lo podés saltar.

RAMÍREZ: —Es que...

TENIENTE EBERS: —Decí etcétera.

RAMÍREZ: —«Señor Teniente. Vengo a denunciar que a mi local de trabajo de la compañía de bomberos, ubicada...»

TENIENTE EBERS: —... al lado de la plaza. Esto te lo podés saltar.

RAMÍREZ: —«Este... patatín, patatán... se hizo presente una patrulla de la Guardia portando el plano de un sector de la ciudad de León, cuya paternidad me pidieron admitir con tono ya no altanero sino directamente amenazante. Yo les expresé a los señores soldados, del modo más cordial, que en efecto ese mapa provenía de mi mano y que qué inconveniente veían los señores soldados en ello. Tras un momento que me pareció de confusión, como si los señores soldados no supieran qué más preguntar, o como si ignoraran el sentido de su visita, uno de ellos me tomó del brazo izquierdo y aplicándome una dolorosa llave me hizo quedar de rodillas sobre el piso entre ambos carromatos, mientras gritaba (pido perdón por las palabras): "Ya te jodiste, cabrón. Ahora vas a confesar para qué hiciste el mapa este." En medio del dolor y la humillación que me procuró semejante tratamiento, sólo atiné a quejarme sin que me saliera palabra. Los señores soldados, interpretando acaso este gesto como un silencio obstinado de quien algo oculta, me proporcionaron puntapiés y golpes con los puños que me causaron fuerte daño. Al ser golpeado, incluso en los testículos, perdí por un momento el conocimiento. Al despertar, los señores soldados me pusieron en una silla y reiteraron sus preguntas, esta vez en tono amable, y yo diría con arrepentimiento. Pero los golpes ya habían sido dados y ésos no podían arrepentirse ni dejaban de dolerme. Ya tratado como la gente, pues, contesté lo único que hay que contestar, y que contesto hoy ante usted, señor Teniente: dibujé el plano de este sector del pueblo con toda minuciosidad porque soy un perfeccionista. Mi oficio de bombero quiero cumplirlo a cabalidad. Así como usted anhela por el bien de la patria llegar a General, a mí me agradaría ser un día Comandante General de la Compañía y el mejor estratega en la lucha contra el fuego. En dicha perspectiva, enriquezco mi cultura profesional hora a hora explorando cada trecho del territorio a mi cargo. En caso de que un día estalle un siniestro —como tantas veces ha pasado en los atentados sandinocomunistas o en las réplicas patrióticas de la Guardia Nacional— conoceré los puntos sensibles como la palma de mi mano. Sé, por ejemplo, qué altura tiene el Seguro Social y cuál juego de escaleras es el más fluido. Sé qué edificios están hechos de materia combustible y cuáles de concreto en caso de tener que decidir urgentemente prioridades. Etcétera, etcétera, etcétera. Este celo profesional, señor Teniente, que en cualquier lugar del mundo sería estimulado y recompensado con medallas, ascensos de grado y aumentos de sueldo, aquí en Nicaragua merece sospecha, apremio y violencia sobre el cuerpo y el alma del funcionario. Más duele, cuando esta agresión proviene de colegas uniformados, quienes como yo, debieran hacer de la disciplina y del sentido de la justicia un culto. Sin otro particular, solicito respetuosamente de esta Jefatura de la Guardia Nacional que se me exima de sospechas e interrogatorios brutales y que en la medida de lo posible los hechores de este atentado se excusen ante mi persona y ante la de mi señor padre, quien curó mis heridas como viudo que es. No pido castigo para ellos, porque no soy hombre rencoroso, pero aprovecho la ocasión para mandar duplicado de esta carta a la Comandancia General del Cuerpo de Bomberos con el objeto de que se reconozcan mis méritos, se considere la triste verdad de mi sueldo tras seis años de servicio (adjunto liquidación del mes de enero, ya que febrero, marzo, abril y mayo están aún impagos), se proceda a la cancelación de mis honorarios adeudados, y se ponga en estudio un reajuste que me favorezca.

Sin más, saluda respetuosamente a usted, Plutarco Ramírez».

[PAUSA.]

TENIENTE EBERS: —Está bueno, pues. Vamos a hacerte caso y cualquier novedad que haya, te avisamos.

RAMÍREZ: —Gracias, teniente.

TENIENTE EBERS: —De nada, hombre, de nada. Para servirte, pues.

[FIN DE LA GRABACIÓN.]

El capitán Flores terminó de leer el material archivado en la carpeta de color rosa y aplastó la última hoja con el tipo de golpe con que se mata un mosquito. Puso el dossier junto a otros tantos, y apretando el tabique de su nariz entre las yemas de dos dedos, agrediendo el núcleo de su neuralgia, le dijo a nadie:

—Esta guerra ya la perdimos, mi General.

12

Aunque era pleno día y el sol caía desde el cielo intachable, los vehículos militares entraron al barrio con sus luces encendidas. Mantuvieron la formación en hilera, hasta que el primero se abrió cuneteando la vereda y el espacioso coche del capitán Flores pasó a encabezar el conjunto. Los vecinos, turbulentamente anclados en sus casas, terminaron de cubrir las ventanas de cortinas estampadas y echaron el cerrojo a las puertas. El capitán Flores frenó frente a la vivienda de Agustín, y giró el volante dejando el auto atravesado en el empedrado callejero. Asomando la cabeza por la ventanilla, quiso discernir los ruidos del vecindario. Sin descender, exigió con la llave del coche en alto que los jeeps apagaran los motores. Cuando tras un par de explosiones se produjo la calma, el capitán pudo jurar que se hallaba ante uno de los más raros silencios que había conocido, e intentó precisar su matiz y sus potenciales riesgos.

Al salir del coche, saltaron también sus soldados con las armas listas en una maniobra que pareció perfeccionada en laboriosos ensayos. Flores se frotó con el pañuelo el gris sudor de sus palmas, lo dobló con exceso de meticulosidad, lo puso en el bolsillo de la guerrera, alisó el bulto que la prenda le produjo en el pecho, como quien sacude una terca pelusa del uniforme, y levantando la enérgica barbilla ordenó:

—¡Agustín Menor!

Aunque no quitó la vista de la casa, por toda respuesta sólo consiguió que el ya intenso silencio se perfeccionara. El árbol a su flanco izquierdo, le pareció pintado por un niño, tan quieto y arrebolado.

Extendiendo otra vez el pañuelo, se limpió en él las manos como si accionara una toalla.

—Agustín Menor —llamó, apenas subiendo el tono.

La puerta de la casa fue abierta desde el interior, pero nadie surgió en el dintel. Convenidos, los rifles de todos los soldados apuntaron en esa dirección. Segundos después apareció don Antonio enfundado en la flamante camisa que le trajera Agustín, acariciándose las solapas cual si temiera una prematura arruga en su apariencia. Por los costados de sus pies calzados con sandalias de cáñamo, surgieron dos gallinas que quedaron paralizadas en la vereda aturdidas por la luz. El capitán pudo advertir que sus manos comenzaban una vez más a mojarse. La caída de los hombros de don Antonio le pareció humilde, pero reconoció la altanería de los rebeldes en el riguroso mentón.

—¿Quién sos vos? —le dijo.

—Antonio. Antonio Menor.

—Antonio Menor, «señor».

—Antonio Menor, señor.

El capitán asintió ceremonioso. Hubo un movimiento indefinible en la vivienda vecina a la de Agustín, mas sin necesidad de darse vuelta, supo que sus reclutas vigilaban. Pudo percibir el caño de los Garand en cada nervio de su espalda con la lucidez que sólo dan dos décadas en los cuarteles.

—Vengo a buscar a tu hijo, pues.

Ahora indicó a su tropa, aún sin mirarla, con el gesto informal con que los adolescentes presentan sus amistades.

—Aquí no está, señor.

—¿Y dónde, pues?

—No sé, señor. De estar en algún lado, estará en el cuartel.

El capitán fue hasta la muralla, junto a don Antonio. Sacó el revólver del cinto, y con la cacha picoteó el frágil adobe de la pared que se descascaró abundantemente.

—Paja, pura paja —comentó.

Puso de vuelta el arma en la cartuchera, bajó al padre del peldaño tendiéndole con mecánica gentileza la mano, y ya en la vereda lo tomó del codo iniciando un lento paseo hacia la esquina derecha. Le apretó suavemente el antebrazo.

—Tu hijo no se presentó el lunes al cuartel. —Y agregó en voz baja, casi con tristeza—: Anda la bola en el barrio de que desertó.

—No puede ser, señor.

Desde sus posiciones, los militares seguían el paseo inmutables, clavados bajo el sol. De vez en cuando, entrabados por los rifles, se pasaban la manga de sus guerreras sobre la frente para secar sus sudores. Flores puso sus labios cerca de la oreja del padre, y le dijo con el esbozo de una sonrisa:

—Anda la bola en el barrio que vos andás con los sandinistas, cabrón.

El hombre opuso esta vez resistencia a la presión del capitán cuando lo conminó a seguir paseando. Terco en esa baldosa callejera, repuso:

—Eso no es cierto, señor.

—¿Vos decís que miento, viejo?

Don Antonio espió la calle a lo largo hasta perderse en la transparencia tropical del horizonte. Esta vez tenía que vigilar sus palabras como un andinista palpa las rocas antes de encumbrarse.

—Usted no, capitán. La gente.

Flores desprendió su mano del antebrazo del hombre. Pestañeó tupido a centímetros de la frente del padre, y como alertado por el ceño fruncido de éste, sus movimientos se aceleraron súbitamente puestos a presión. Con tal vigor condujo a don Antonio hasta el umbral de la vivienda, que pareció llevarlo en vilo.

—Andá y decile al muchacho que ya se venga.

No se dilató en examinar la perplejidad del padre. Imantado, avanzó hasta el coche, introdujo el brazo por la ventanilla del volante, y apagó los focos, luego fue hasta el jeep más cercano, y se sentó en el parachoques apoyando la espalda en el motor. Desde allí le hizo señas al hombre alentándolo a entrar de una buena vez. Éste asintió con la barbilla, y haciendo ostentación de su desconcierto, fue perdiéndose en el cuarto. El capitán alzó la vista hacia el sol, extrajo el pañuelo, lo estrujó como amasando una bola, y lo introdujo arrugado al bolsillo del pecho.

—Hace sed de cerveza, carajo —dijo, mojando con la lengua su labio superior.

Y clavó la vista en la puerta.

Don Antonio había permanecido aquel lapso en la sala, la repentina sombra el exacto espejo de su confusión. Por más que contemplara los muebles familiares, las fotos desteñidas y las manchas en las murallas, no podía inspirarse. Sintió el morbo de su inactividad, suspenso como un adicto a su droga.

«No sé qué pensar, no sé qué hacer, ni siquiera sé si podré, si sabré moverme cuando quiera.» La saliva que derramó sobre su labio inferior creció en su conciencia, puesta bajo reflectores. «No sé cómo empezar a pensar. No sé por qué estoy aquí. Por qué me estoy quedando aquí. Sólo sé que me estoy quedando. Que no me muevo. Que tengo que hacer algo que no sé qué es. Me voy quedando aquí.» La puerta hacia la cocina, el tránsito al patio, los saltarines muros que circundaban su casa, aún en su desconcierto le parecieron inviables.

—¿Qué te dilata ahí, viejo?

Como si el grito desde la calle reciclara sus movimientos y su capacidad de coordinar, fue hasta el armario, despreció las servilletas bordadas del primer cajón, y hundió las falanges hasta topar junto con la madera del fondo la cacha metálica del revólver familiar. Lo puso entre las manos, y lo estudió largamente con la actitud incierta con que se observa un pájaro herido. Volvió a meterlo en el estante, derramó sobre él las banales servilletas, vino otra vez hasta el centro del salón y estuvo un minuto más allí, recogiendo con escandalosa ternura las fotos de sus familiares amados. Desde esos rostros de gala, hizo un último esfuerzo por pensar. Dotado de una súbita insensatez fue hasta la puerta y se puso agresivo bajo su marco, concluyendo ante el ceño fruncido del capitán.

—No lo he encontrado, señor —dijo.

—¿Viejo? —preguntó el capitán, inclinando el cuello y aconchando la oreja con la mano.

Don Antonio aclaró la garganta. De alguna manera, las palabras estaban aún allí, con la porfiada monotonía del surco que impide la progresión de la aguja en el disco.

—No lo he encontrado, señor.

El militar se sacó el quepis y paseó despacio el índice por su circunferencia interior. Durante algunos segundos estuvo echándose aire agitando la visera sobre la frente, hasta que depositó con formal gesto —asiendo con las yemas los extremos— el tocado de vuelta en la cabeza. Giró sobre los talones con prestancia disciplinaria y avanzó directo hasta don Antonio, cerrando de un manotazo la puerta de su propio coche que le impedía el tránsito. Con un gesto apenas perceptible de su anular, hizo que el padre de Agustín descendiera la grada y se le uniese en la vía. Tomándolo del codo reinició el paseo, como sumido en una vaga cavilación. Cada vez que llegaban a la esquina, giraban y volvían hasta la vivienda. El viejo se dejaba conducir con el rostro tan inexpresivo como una valija.

Más pensando en voz alta que advirtiéndoselo,

el capitán expuso lo que pareció ser el fin de su razonamiento:

—Yo contra vos no tengo nada. Yo aprecio a tu hijo, y como aprecio a tu hijo, te aprecio a vos. Al fin de cuentas, cabrón, vos sos el padre de tu hijo.

Se puso teatralmente un dedo en la sien, como quien se apuntara con el caño de un revólver, obligando con un tirón del codo a que el padre se detuviera en seco a considerar su coreografía: «Tu hijo tiene de esto. Es advertido. Y si es hijo tuyo, vos también tenés de esto», agregó, punzando ahora con su meñique la propia sien de don Antonio, en un rápido juego de manos. «Y si tenés de esto, quiero que me lo probés.» Lo levantó de vuelta a la grada y le dijo cortésmente, sonriéndole y guiñándole un ojo: «Traémelo.» El capitán avanzó hasta el jeep, apretó el interruptor del altoparlante, y emitió su comunicado:

—¡Atención! ¡Mucha atención! Se realizará una operación registro de inmediato. Todos los habitantes de la cuadra deben abandonar ya mismo sus casas.

En cuanto hubo bajado el magnetófono, las puertas comenzaron a abrirse con la coordinación de un abanico, la fluidez de un bandoneón. Sin prisa, como si primero surgieran los ojos y los cuerpos después, fueron saliendo ceremoniosamente niños, mujeres y algunos ancianos que ante la pedrada del sol dudaron entre cruzar los brazos sobre el pecho o enredarse los dedos a la altura del vientre. El capitán recorrió el conjunto dándose golpecitos insatisfechos en el muslo.

—Cabrones —fue diciendo en su recorrido—, nos dejan a los viejos y a los chavales, y los hijos de puta se esfuman.

Fue justo al terminar esta frase, que le atrajo la atención una robusta mujer de vestido floreado que mantenía rígida a su hijo en brazos. Flores pudo sentir exactamente el impacto que su mirada había causado en el cuerpo de la mujer. Como si de repente la hubiera electrizado, dado vuelta la piel y ella expusiera transparente su terror. Sus brazos apretaron con más fuerza al hijo. El capitán anduvo los pasos que la separaban de ella y detrás del tranco del capitán avanzaron de reojo las miradas de todos los vecinos. El silencio le pesó a Flores. Un cero en la nuca.

—¿Qué hay comadre? —dijo—. ¿El chico no estará ya muy crecido para mimarlo tanto?

Extrañamente, la mujer fue ahuecándose, dejando una prodigiosa concavidad en su pecho y vientre como si quisiera devolver al muchachón a su entraña. Flores le señaló imperiosamente el pavimento: «Dejalo que se sostenga por sus propios medios.»

—Tiene sólo doce años, capitán.

Sus ojos estaban arrodillados, suplicantes, tensos como puños, el labio inferior seco.

—Catorce o quince —dijo Flores, indicando impaciente el suelo con su índice—. Dejalo, pues.

La madre lo fue bajando y sus pupilas buscaron una remota complicidad, asistencia o intervención de los pobladores, cabizbajos en la encostradura de su mudez. Cuando lo depositó en el empedrado, con súbita vehemencia apretó la cabeza del niño contra su pecho, y sus brazos temblaron cuando el capitán quiso apartárselos tomándola de las muñecas. A la tácita plegaria, el militar repuso con una mirada firme y terapeútica, y trajo al niño hacia el muro blanco, tomándolo de la mano como un padre a un escolar el primer día de clase. Luego fue retirándose hasta el centro de la calle, y allí, entre medio de los jeeps y su tropa, se formó una imagen total de la escena. Un estratega del campo de batalla, un coreógrafo que levanta el telón que va a ser inflamado por la danza. Las miradas de los pobladores se repartían entre el niño, preciso en el muro bajo las consignas sandinistas que ahora parecían apuntar hacia él con sus dedos delatores, su propia altanería socarrona de maestro de ceremonias con el oído vigilante a alguna sorpresa que cayera de los techos, y el humilde dintel de don Antonio exasperantemente vacuo. Entre ese manojo de intenciones, prestó cuidado a aquellos que preveían de las canaletas en los tejados los derrames de ángeles sandinistas con espadas de fuego como en las estampitas parroquiales. Mientras se acariciaba el bigote, tuvo la sensación de que por las tejas y calaminas no transitaba siquiera un gato. Sólo entonces, caminó moroso hasta la puerta de Agustín, introdujo la nariz en la ardiente penumbra y dijo con voz íntima:

—Haceme el favor de salir un ratito, viejo.

El padre vino hasta el dintel y le pareció que los ojos de los pobladores eran aerolitos, que astillaban el sol y lo penetraban hasta los huesos. Era como si el polvo de la calle levitara y todos tuvieran atascadas las amígdalas de un líquido insoluble, de un silencio bochornoso, parecido a las heces.

—Parece que no lo encontraste —dijo Flores, subiendo por primera vez el volumen de su diálogo con el viejo para que alcanzara al vecindario.

Inclinando como un cachorro de lánguidos ojos su cuello rígido, murmuró mínimo, con el tono de un enfermo:

—Lléveme a mí, señor.

—¿A vos? —gritó, golpeando el puño contra la palma de su mano, inopinadamente preso de un desasosiego que en un segundo hizo añicos la templanza de su rango—. ¿Y qué sabés hacer vos? ¿Sabés manejar un telégrafo? ¿Conducir un Sherman? ¿Reparar el neumático de un auto? ¿Has salido alguna vez de esta mierda donde querés enterrar en vida a tu hijo? ¿Qué clase de padre sos? ¿Qué clase de padre sos, grandísimo cabrón?

Las pestañas del capitán relampaguearon cebadas en la mansa actitud de don Antonio y su vista recorrió al vecindario, quietos pájaros heridos, cuyas cabezas se fueron doblegando a su paso como si fueran velas que él soplara con su aliento.

—Y a ustedes, señores, no les vamos a regalar Nicaragua. Antes de que lleguen aquí los sandinistas, yo mismo voy a bombardear León hasta que no quede ni una mosca ni una hierba.

Estuvo inmóvil un rato esperando alguna respuesta, y luego elevó los ojos hacia la única nube paralizada en el cielo. Arrugó el ceño, desagradado. «Hace una sed del carajo», pensó.

—A vos te aprecio, viejo —le gritó a don Antonio, sin mirarlo. Esgrimió tenso el índice señalando al chico de doce años. Como un fogonazo pudo sentir el recelo de la gente. Encarnizado en la nueva temperatura, fue rápido hasta el niño, le alzó la cabeza asiéndolo de la nuca y lo dio vuelta hacia el padre, exhibiendo un objeto. Desde la gran distancia que los separaba, afinó la dicción para decirle, casi silabeando:

—Pero este cabrón, me da lo mismo.

Empujó al chico contra la pared, y volvió decidido a instalarse en el exacto centro de la calle, coronando el arsenal de sus hombres.

—¿Oíste, viejo? —gritó.

Fue entonces cuando apareció Agustín en el marco de la puerta, el torso desnudo, la gorra militar con un dejo impulcro en la caída sobre la ceja, la guerrera colgando de su puño hasta arrastrarse por el suelo. Observó al capitán con expresión neutra, ignoró la cerrada tensión de los vecinos, se puso la chaqueta abrochándose los botones —salvo el del cuello— mientras el sol hinchaba el polvo y enceguecía las manchas de aceite de los jeeps sobre el empedrado, y luego fue hasta su superior balanceando su cuerpo con movimiento compadre, como si su peso y altura fueran superior al real. A un metro de distancia, Flores extendió el brazo y brilló entre su pulgar e índice, perpendicular a su cuerpo, el cromado manojo de llaves del auto. Las sometió a un tintineo, y cuando Agustín las arrebató, sin cortesía ni violencia, le indicó con la quijada el coche y contempló el elástico lomo del chico flectarse para ocupar el asiento delantero. Cuando el motor arrancó, el capitán le dedicó una leve sonrisa de padre, y luego extendió su amabilidad al resto de los pobladores. Tocándose elegantemente el borde del quepis, les dijo:

—Así me gusta, que nos comprendamos con buenas palabras.

13

El cartero parpadeó, la cabeza ceñida en la húmeda almohada, y contuvo luego los ojos tensamente abiertos. Estuvo oyendo el silencio crecido por el toque de queda, incapaz de discernir si la voz era la conclusión de un sueño o en rigor aquello que lo había despertado.

—¡Salinas! —insistió el grito sigiloso.

De un salto estuvo en el portón y puso la oreja sobre la agria madera.

—¿Quién? —dijo, con un hilo de volumen.

—Yo, hombre.

—¿Vos?

—Abrí, carajo.

—¿No sabés que hay toque?

Cerca, tal vez a una cuadra, comenzó a desarrollarse el traqueteo pesado de un vehículo. El bullicio típico de un Sherman sobre el pavimento.

Abrió de un envión la puerta, y pegado a su hoja como una estampilla, Ignacio entró y se deshizo de un bulto echándolo sobre la cama. En la focal claridad de la luna, incitó a Salinas a que sin estrépito procediera a cerrar la puerta.

El cartero no se hizo repetir la orden, agregándole por su propia iniciativa doble cerrojo a la chapa.

—Sabés que te andan buscando, ¿no?

—Sí, pues.

—Sabés lo que dicen de vos, ¿no?

—Vengo recién llegando, hombre —jadeó Ignacio, sujetándose el corazón—. No estoy para pelambres.

—Dicen que vos fuiste el que volaste el jeep militar.

—¿Eso dicen?

—Pues, sí.

—¿Y vos lo creés?

Quiso discernir la expresión del muchacho en la irreal lechosidad de la noche antes de contestarle, como si necesitara leer la respuesta a esa pregunta en la cara de quien la formulaba. Se pasó la manga del pijama por la nariz y puso atención al Sherman que se alejaba.

Luego no supo qué hacer en la pausa que él mismo había inaugurado, y con súbita inspiración puso en las manos del chico la botella de guaro. Ignacio bebió un sorbo y celebró su efecto relajador con un suspiro. Salinas fue hasta el escritorio, tomó un lápiz con la punta quebrada y comenzó a aplicarle con todo escrúpulo la hoja de una Gillete, obsesionándose en el fino polvillo del grafito que caía sobre una hoja de papel blanco.

—¿En qué te puedo servir, pues?

Ignacio presionó el talón de su zapato izquierdo con el derecho hasta descalzarlo. Con el pie libre, hundió un dedo en el cuero del otro y también se lo quitó. Salinas puso atención a esos movimientos como si le correspondiera descifrarlos.

—¿Te pensás quedar aquí? —dijo incrédulo.

El muchacho se encogió de hombros y apuntó con el pulgar hacia su espalda.

—Anda el Sherman, ¿no?

—Aquí no te podés quedar. Vinieron y preguntaron por vos.

—¿Y qué les dijiste?

—Dicen que vos volaste el jeep militar. —Hizo una pausa solemne, y en el mismo tono prosiguió—: Murieron tres.

Sin inmutarse, el joven empezó a trabajar los dedos de los pies para quitarse el calcetín del lado derecho.

Salinas se abrochó los botones del pijama como si tuviera que salir a la calle a recibir a alguien.

—Dicen que el cura te tuvo escondido.

—Solamente un día.

—Y que después te fuiste a Chinandega.

—De allá vengo.

Ignacio movió los diez dedos de los pies e hizo chocar los talones, como para despertarlos de un adormecimiento.

Salinas fue hasta la puerta y la remeció un poco, comprobando que no dejara ni un resquicio hacia la calle.

—Al frente está el gabinete del doctor Rivas —dijo.

—Vine para pedirte un favor.

—Aquí no podés quedarte.

—Está bueno, pues. Ése era el segundo favor y ya me dijiste que no.

—El primero tampoco.

—Gracias, pues, por tu heroica contribución a la lucha contra la dictadura.

—A vos, por lo menos, si te matan le van a poner tu nombre a una calle.

—¿De dónde sacaste eso?

—Se te nota que los humos se te fueron a la cabeza.

—¡Baboso!

—Si a mí me fusilan, todo el mundo va a decir: «Pobre Salinas, él que nunca hizo nada.»

—Ahora estás haciendo algo, pues.

—Sí, pero ¿quién lo sabe?

—Si querés que se sepa, mañana todo el pueblo se entera.

—No, gracias.

Ignacio disfrutó del enfurruñamiento de Salinas rumiando sus quejas de espaldas a la luna y el nuevo trago de guaro lo deleitó con la parsimonia de un gourmet.

—La carta esa... —dijo el cartero sin darse vuelta—, ya la entregué.

—Me lo contaron.

—¿Quiénes? —gritó, impetuoso.

Ignacio se encogió de hombros.

—Un pajarito, pues.

Salinas bajó la vista y fue hasta la cama para aplanar desordenadamente la colcha.

—¿Y la Vicky? ¿No dijo nada?

—Sí. Me dijo algo.

Disfrutó enormemente del suspenso que había creado. Salinas se palpó con ferocidad los bolsillos.

—¿Qué buscás? —le preguntó Ignacio.

—¿Qué? —le dijo Salinas, aún manoteándose.

—Te pregunto qué buscás, porque si son los cigarrillos te aviso que no los encontrás porque andás en pijamas.

Salinas se golpeó la frente, fue hasta la silla, extrajo el paquete y puso un tabaco en la mano de Ignacio y otro en su boca. Después de encender ambos, atrajo la silla hasta muy cerca del chico.

—Contá.

—¿Qué?

—Lo que te dijo.

—¿Quién? —saboreó Ignacio.

—La Vicky.

—¿Cuándo?

Salinas se descolgó abruptamente del ritmo de las frases y mantuvo durante medio minuto un silencio cauto, que al concluir se le hizo tristeza.

—Vos no sos mi amigo —dijo.

Ignacio lo palmoteó en los muslos.

—Mirame —dijo.

Un balazo aislado como un meteoro atravesó la noche. Salinas sólo levantó un ojo, arrastrando en la ceja un parpadeo de desconfianza.

—Te voy a decir lo que Vicky me dijo.

—Hablá, pues.

—Me dijo: «Cuando veás a Salinas, decile gracias de mi parte.»

—¿«Gracias»?

—Gracias.

—Y qué más te dijo.

—«Si ves a Salinas», me dijo, «decile que ahora que está con los muchachos lo encuentro más simpático y más buenmozo».

Salinas se cubrió la cara con las manos sin permitirse un resquicio.

—¿Qué te pasa?

—Nada, hombre —dijo el cartero riéndose entre los dedos tensos—. Es que me puse colorado.

14

El primer día, con las manos cruzadas tras la nuca, creyó disfrutar el cautiverio, privado de los gritos que azuzaban a los soldados con sangre, carne y sandinistas. Percibía sobre su cabeza el abrumado zapateo de los otros reclutas, y estirándose en la tabla de roble que le servía de cama, había determinado que era preferible esa molicie de pan y agua a los rudos trajines que culminaban con patadas en las costillas entusiastamente infligidas por el sargento Cifuentes al atisbo del primer desmayo.

En la noche de ese mismo día, tras dormir una hora, precisó del agua de la jarra y ávido la levantó, logrando humedecer los labios con la última gota. Diez minutos después, la sed ya no era un reclamo, sino una desesperación. Desde entonces no pudo dormir. Sentado en la madera, con las rodillas casi rozando la pared —parecía que hubieran encajado ese lecho a presión en el minúsculo espacio— estuvo horas esperando que la trompeta de las cinco, junto con despertar al batallón, trajera al carcelero. Pero las horas parecían no avanzar y la misma penumbra silenciosa no cambiaba nunca su tono. Al rato notó que el corazón le saltaba en desorden. Llevó una mano a cubrírselo, y aterrado ante la dispersión caótica de su propio cuerpo, casi no pudo respirar. Acezante, alzó al cuello hasta la rejilla lejana y quiso advertir con un grito que se ahogaba. Pero la sola idea de que apareciera Cifuentes en calzoncillos preguntando por el hijo de puta que lo había despertado, lo conminó a desistir. La enfermería estaba cerrada a esa hora, y le diría, sin duda, que las palpitaciones eran cosa de señoritas. Con las palmas en el pecho atento a cada una de sus electricidades y punzadas, incapaz de pensar en nada, de proyectar una sola idea en el desierto de su mente, la trompeta lo encontró a punto de quedarse dormido. Media hora más tarde, por la ventanilla de la puerta de fierro le pasaron otra jarra, un pan fresco y un vaso de leche tibia. El carcelero que se la trajo no dijo nada. Agustín no hizo ninguna pregunta. Bebió abundantemente, y respiró varias veces muy hondo hasta sentir que las preocupaciones de la noche anterior habían sido fútiles. Antes de acentuar el declive de la jarra para el segundo trago, detuvo su impulso y apenas si consumió un par de dedos pensando ya en la reserva nocturna.

Durante la mañana —cuando la humedad se hizo traposa y asfixiante— evocó con alguna nostalgia, y luego con envidia, los ejercicios de sus colegas que culminarían en una abundante ducha fría y una cena profusa. Al mediodía consiguió dormir. El sueño no tuvo sobresaltos. Al despertar ya era de noche, y comenzaron a oírse tiros aislados en los alrededores de la escuela, que en el lapso de diez minutos aumentaron a la dimensión de un combate en regla. De pie sobre el lecho, quiso discernir si la balacera concernía a un eventual asalto de los sandinistas al cuartel o si el hambre y el estar enterrado bajo el patio le confundía las distancias y las proporciones. Pudo concluir que las acciones no tenían por objeto tomarse el local de la EEBI, pues de lo contrario el capitán Flores y Cifuentes ya hubieran hecho funcionar las Punto 30 acaudaladas en cada parapeto del cuartel, cuyo tableteo le era familiar desde que las cápsulas rozaban sus mejillas, durante los entrenamientos. Acariciando la madera del lecho, pensó en qué le ocurriría si los sandinistas se tomaban el cuartel, como ya en tantas otras ciudades del país. ¿Qué les diría? Por cierto podría contar la verdad, pero la furia contra la barbarie de la Guardia no se mitigaría con palabras más, palabras menos. En su descargo, sin duda, estaba su presencia en el calabozo. En caso de que le pidieran nombres que lo recomendaran, podría dar el de Ignacio. La última vez lo había visto oculto bajo la tela del altar, y aunque no hubo diálogo, supo al menos ser discreto. Pero una hora antes, en la calle, ¿no se apartó con displicencia —con rencor— cuando lo vio llegar al pueblo en uniforme?

¿Acaso convocar el testimonio de todo su barrio? Todos habían visto cómo lo secuestró el capitán Flores. Pero la boca de la gente es más grande que la de los peces: seguro que sólo recordarían que él abandonó su barrio conduciendo el *propio auto* del capitán.

Al alba, el hambre lo halló con la oreja sobre la puertecilla, como si su impaciencia fuera un señuelo que atrajese al guardia. Sólo media hora después oyó los pasos en el eco metálico del pasillo. Al advertir su muñeca temblando sobre el cerrojo, trató vanamente de dominarla echándole la mano izquierda encima. Cuando la llave fue introducida, se replegó con un salto hacia el lecho y su espalda tropezó con el muro.

Una súbita lucidez, la de un animal acechado, lo penetró al ver que las llaves colgaban de la mano de Cifuentes y no de la del carcelero. La colonia de la afeitada del sargento se tragó de un envión los otros olores.

—Vestite.

Apartándose hacia el dintel, hizo lugar para que el chico se pusiera los pantalones. Cuando corría la cremallera de la bragueta, el sargento lo apuntó con la llave en el cuello y la presionó sobre la garganta haciendo que la cabeza de Agustín se estrellara contra la pared. No pudo tragar saliva y le costó respirar. Sin distender la mano que lo agobiaba, Cifuentes le dijo con voz neutral, enfatizando más el rencor que el contenido de las palabras:

—A vos te tengo muchas ganas, flaco.

El muchacho alzó las manos hasta el cuello y tomando la muñeca del sargento quiso apartarla, pero el antebrazo de Cifuentes, que hacía los primeros cincuenta tiburones junto con la tropa cada madrugada, era un tronco durísimo. Sólo aflojó la presión al advertir que el muchacho se ahogaba. Estuvo un instante quieto hasta que la respiración de Agustín se normalizó, y sólo entonces le extendió la guerrera del uniforme.

—Te tengo ganas, flaco —le dijo, casi íntimo.

Agustín fue poniéndose lentamente la guerrera, atento a los puños cerrados de Cifuentes de donde podría en cualquier momento saltar el golpe.

Terminó de abotonarse y esperó con la cabeza gacha la nueva orden.

Cifuentes estiró y contrajo los dedos como si un súbito calambre impidiera la circulación de la sangre en sus puños.

—Un día en el calabozo, y ya salís. ¿Sabés cuánto estuvo aquí el último que hizo lo que hiciste vos?

—No, señor.

—De aquí no salió, pues. ¿Entendés lo que te digo?

—Sí, señor.

—Ése no era el niño de los mandados del capitán, pues.

Con dos pestañeadas, Agustín se hizo el cuadro definitivo de lo que ocurría. *Flores* lo había mandado sacar del calabozo. No podía ser otra cosa. Sintió que junto con el razonamiento, la ira contenida le remontaba hasta las sienes. Disfrutó de pronto el universo de prebendas que se le abrían en ese instante, de ser cierto su pronóstico. Cargó el labio superior izquierdo de ironía, mirando fijo a los ojos de Cifuentes.

—Usted debiera comprender —dijo— que las misiones especiales que me encarga el capitán son parte del servicio. —Puso la mano sobre el cuello y se acarició la piel—. Eso que me hizo con la llave me dolió bastante, sargento.

Cifuentes adelantó la mandíbula y se pasó bruscamente varias veces el pulgar sobre la nariz, como si estuviera convocando las palabras que ahora le faltaban.

—Te tengo ganas, flaco —dijo finalmente—. Acordate.

Sin esperar a que el sargento se lo ordenase, salió del calabozo y echó a caminar lentamente por el pasillo.

15

La mujer más vieja del pueblo recibió *mosca* del cura de que la pasarían a buscar en auto a las seis de la mañana. Ella repuso que era muy hombre para sus cosas gracias a Dios y que podía irse con sus propias patas. El padre Pedro le pidió que hiciera sus oraciones y que por respeto a Dios Santo no siguiera hablando por teléfono a esas horas de la noche. «De todas maneras no puedo dormir», dijo la mujer más vieja del pueblo, «se están fajando a balazos a la vuelta de la esquina». «Hasta las seis, doña Rosa», colgó el cura y frotó la mano sobre el tubo del teléfono como si pretendiera limpiarlo de sus huellas digitales.

Cinco minutos antes de la cita, Vicky había untado el lápiz maquillador en la punta de su lengua y procedía a trazar una línea bajo los párpados de Amalia. Y seis minutos después, treinta segundos más tarde del ágil tránsito del triciclo del panadero, don Antonio pudo ver como al paso de sus dos mujeres las puertas de la cuadra se iban abriendo y las viejas comenzaban a seguirlas a una distancia que le pareció corta para ser prudente. «Mitin o procesión», se dijo.

Al doblar la cuadra. Vicky y su madre reconocieron a la mujer más vieja del pueblo, que armoniosamente curvada sobre su bastón con empuñadura de nácar, les concedía un saludo más pícaro que cauto.

—El cura me lleva en coche —susurró, con sonrisa de chiquilina.

Las mujeres no tuvieron necesidad de darse vuelta para saber que era el carromato del hombre que anunciaba indistintamente defunciones, funerales, bautizos, bodas y el programa del cine, el que había sido dispuesto para el cura, y que era éste en persona quien lo traía ahora corcoveando a sus espaldas, traumatizado con sus indóciles mecanismos.

Un poco más adelante, Amalia codeó a Victoria. Metros adelante iba una mujer solitaria vestida de larga falda azul y un sombrero de pita azul que la bañaba en sombra. La María Molina, pensaron.

Apuraron el ritmo, y al pasar junto a ella, la madre de Agustín le dijo sin detenerse:

—¿Usted también, doña?

—Sí, pues.

—Pero usted no tiene hijo.

—Como si lo tuviera.

Los distintos trancos las separaron, y Vicky pasó el brazo por los hombros de la madre cuando descubrieron el bus puntual y rotundo al voltear la última esquina. Las mujeres subieron sin hablarse y se saludaron sin ceremonia, pero con un aire trascendente. Los tiros aislados no se comentaron por hábito, tacto u omisión. El coche del padre Pedro adelantó al bus con la dignidad de una carroza, y ésa fue la señal que puso en marcha al vehículo. La mujer más vieja del pueblo sacó una mano y la nariz para hacerles morisquetas.

El sargento Cifuentes mordía un sandwich de jamón bañado en mantequilla, cuando el más joven de los guardias llegó a prevenirle que un grupo de mujeres venía subiendo en dirección al cuartel. Antes de inquirir detalles, el sargento alertó de un grito a los atalayas instándolos a seguir al grupo con sus Punto 30. Con velocidad incompatible con su robustez trepó hasta la galería del segundo piso y sin golpear se hizo presente en la oficina del capitán Flores. Los dos oficiales salieron al pasillo. Acodándose en la baranda, el capitán enfocó su largavistas hacia la pendiente por donde venían las mujeres haciéndose más y más compactas, como si la cercanía del cuartel las obligara a ocultarse entre ellas mismas.

Cifuentes tragó el último bocado del sandwich, y tras limpiarse con la manga el bozo impecablemente afeitado, comentó:

—«Mano Negra» ha hecho atracos vestido de mujer.

El foco fue una a una sobre las caras de las señoras. La calle súbitamente se había vaciado y el sol tempranero caía casi a ras contra el lente. Torciendo el rumbo, auscultó la posición de los atalayas.

—Hace tres días que no llueve —murmuró el capitán, retornando el lente hacia las madres. Al apretar el párpado derecho, pudo discernir con una mueca sarcástica al cura como una suerte de núcleo que concentraba a las mujeres.

—¿Qué piensa, capitán? —preguntó el sargento.

—Que esta guerra tiene muchos frentes —dijo, intentando escrutar en los rasgos del sacerdote las raíces de su porfía—. Preferiría una más frontal y clara. Una donde uno supiese exactamente qué respuesta dar a cada ataque.

El sargento hizo un puchero despreciativo.

—¿Le llama «ataque» a este cloqueo de viejas?

Va a ser un acto masoquista, pero quiero ver la cara de este baboso cuando piensa, se dijo Flores. Dejó caer el largavistas hasta el ombligo y con rostro severo enfrentó la frente y el rudo jopo rasado al césped de su inferior.

—¿A usted qué le parece?

—¿A mí, capitán?

Pero ya las mujeres habían alcanzado los portones de fierro, y como estudiantes en una manifestación callejera comenzaron a corear primero suave y espaciado, y luego alto y tupido:

«No muertos sino vivos,
queremos a nuestros hijos.»

Flores distrajo un segundo la vista hacia los barracones de los reclutas y pudo captar hasta los detalles de sus fisonomías con las frentes hundidas en las ventanas.

—¿Cifuentes?

—¿Capitán?

—Llame al Puesto Dos y les dice que a las viejas no me las tocan ni con el pétalo de una rosa. Al fin y al cabo son las madres de estos cabrones.

—Sí, señor.

—Y ordénele también que si algún hombre cruza la calle, me lo tumben sin pedir confirmación.

Miró al cielo, y le pareció desusada la cantidad de aves. *Mucho pájaro*, se dijo.

Los guardias abrieron sólo un trecho del portón y las madres experimentaron la impresión de ser filtradas y de quedar una a una expuestas al lente del capitán, que desde arriba parecía devolver las cuchillas del sol duplicadas. A los pocos metros buscaron reagruparse. Se tomaron de los codos, apiñándose a la madre de Agustín, estrujándose las faldas, sin que el cura tomase la iniciativa de sacarlas de esa turbación. Él también parecía refugiarse en ellas y el miedo rebotaba entre todos sin que nadie lo quebrara. Finalmente, no queriendo dilatar la pausa que comenzaba a parecerse al ridículo, rodeó el hombro de la mujer más vieja del pueblo, y avanzó con paso solemne. Flores sonrió: *El mártir*. Mientras avanzaban, Amalia retomó dura y compulsiva el lema:

«No muertos sino vivos,
queremos a nuestros hijos.»

Si los quieren tanto debieran preocuparse de que no vayan a quedar huérfanos, pensó el capitán, entretenido en pesquizar por el recuerdo de los rasgos de su tropa qué madre correspondería a cuál soldado. El grito fue empequeñeciendo hasta que sólo pudo oírse los tacos de las mujeres rascando las baldosas del patio. Desprendiéndose parsimonioso del largavistas, el capitán recorrió el trecho hasta la escalera y bajó sin prisa, casi quedándose en cada peldaño. Sólo cuando estuvo en tierra, Cifuentes se le puso ostentoso a sus espaldas.

—Bueno, pues. Yo soy el capitán Flores, para servirlas.

Las mujeres no lo miraban. La mujer más vieja del pueblo comenzó a recorrer con las uñas cada pieza de su rosario. El capitán buscó la vista del cura. Éste se la sostuvo apenas, la cabeza levemente inclinada, un niño arrepentido de haber hecho una travesura, y luego la bajó, enrojeciendo.

—¿Y qué? ¿Se han tomado la molestia de venir y se quedan tan calladas?

Iniciando un paseo de ida y vuelta frente al grupo, hizo ostentación de infinita paciencia. Se detuvo ante la madre de Agustín, y la observó un momento, casi sin dudar del éxito de su pesquiza.

—¿Y entonces?

La madre mantuvo terca la vista en sus zapatos, pero toda la energía la concentró apretando la muñeca de Vicky. Le pareció que el corazón de su hija le latía entre los dedos. Fue la María Molina quien habló:

—Queremos a nuestros hijos.

El capitán vino a ella con las manos tras la espalda y estudió sus ojos sin permitirse la sombra de un énfasis. A lo más, calma.

—Si es por eso, yo a los míos también los quiero. Díganme en qué puedo servirlas, pues.

La mujer más vieja del pueblo irrumpió estridente con su bastón y fue hasta él vigorosa como locomotora. Antes de hablarle, buscó el asentimiento del grupo, pero las madres parecían no pestañear.

—No más que deje salir a nuestros niños —dijo concluyente.

Flores hizo un gesto de sorpresa y no le respondió sólo a la anciana, sino a todo el grupo, saltando de rostro en rostro.

—Señoras —su sonrisa buscó ser afable—, esto es un cuartel y no un internado de señoritas donde se puede salir y entrar cuando uno quiere.

—Señor Capitán —dijo el cura—, hace ya tres meses que no ven a sus hijos. No saben si siguen aquí. Ni siquiera —bajó el volumen— si están vivos.

De pronto todo el grupo pareció hablar simultáneamente, y Cifuentes y Flores siguieron las exclamaciones como saltando tras la bola en un match de tenis.

—Bueno, pues —dijo modulando con ironía—. Es que la última vez que los niños salieron, algunos se portaron un poco remolones. Muchos enfermos de la barriga, dicen. Otros que se iban quedando en la casa. Dicen que en la cama, ¿no?

Antes de que Victoria hablase, la madre se adelantó al sentirla carraspear:

—Nuestros hijos no están hechos para esto, señor.

—¿Hechos para *qué*, señora?

—Para que sean muertos, pues.

El capitán nutrió sus próximas palabras con una pausa.

—Ninguna madre quiere ver a sus hijos muertos. Pero hay una madre que es la madre de todas las madres y ésa es Nicaragua. Sus hijos están aquí para defenderla.

—¿De quién, señor? —gritó la María Molina levantando altiva la quijada bajo el sombrero alón.

—De los yeicos —se atravesó Cifuentes—. De los comunistas.

Ignorando la respuesta del sargento, la madre de Agustín asedió al capitán:

—¿De quién, señor?

Flores se sacó la gorra, la puso frente al rostro y se abanicó con bruscos tics de la muñeca. Esta vez le otorgó a la larga pausa la función de dar por terminado el diálogo. Pero entonces la mujer más vieja del pueblo, con voz recóndita y cascada, agitó la consigna:

«No muertos sino vivos,
queremos a nuestros hijos.»

Atento a la punta de sus zapatos lustrados por el ordenanza, el capitán esperó que el griterío disminuyera, y luego, que el murmullo se fuese desgajando.

—Mis queridas señoras —dijo entonces—, no es por nada, pero me parece que lo que ustedes quieren realmente gritar es «no muerto, sino vivo, queremos a Sandino».

Teatral, se calzó rotundo el quepis en la cabeza. Giró sobre los talones y fue subiendo la escalera sin mirar atrás. La mujer más vieja del pueblo quiso acercársele pero Cifuentes la detuvo. Fue entonces cuando Vicky, la yugular tensa, se desprendió del grupo y antes de que el sargento reaccionara, gritó desde los pies de la escalera:

—¡Capitán!

La frescura de esa voz destacó nítida en el conjunto. Pudo más la curiosidad que el fastidio, y Flores derramó la mirada hacia la joven desde el último peldaño. También los atalayas de la torre se distrajeron un segundo. *Cualquier otra guerra. Cualquiera, no ésta*, se acarició el bigote el capitán. La muchacha insinuó seguir trepando, pero Flores le indicó que se detuviese en el segundo escalón.

—¿Y de quién sos madre vos?

—Busco a mi hermano.

—Mejor tenelo vivo aquí dentro, que muerto afuera.

—¿Vivo, capitán? ¿Por cuánto tiempo?

—¡Señoras! —amplió el diálogo Flores descendiendo una grada—, hablemos en serio. Sus hijos son soldados y no niños de teta. Si ellos están aquí dentro, es porque ellos mismos lo quisieron.

Vicky ni supo que al replicarle avanzaba hacia arriba quebrando la orden. Cifuentes vino hasta la base de la escala.

—¡Aquí los trajeron engañados! ¡Les dijeron que iban a estudiar y ahora los sacan a matar por las calles!

—Son tiempos de emergencia, pues. Pero en tiempos normales ninguna vino aquí a quejarse. Cuando no teníamos esta guerra del carajo, les gustaba que a sus chavales les diéramos de comer hasta hartarlos. ¿Cuántos en Nicaragua tienen ese privilegio? ¿Son capaces ustedes de darles para que se harten?

La madre de Agustín vino hasta el puesto de Vicky y las mujeres avanzaron con ella.

—Porque nuestros maridos están cesantes, pues.

—Porque no tienen trabajo. Porque los han echado.

—¡Señoras! ¡Yo soy militar y no presidente! —gritó Flores—. Yo les puedo dar de comer a sus hijos, yo puedo educarles a sus hijos, yo puedo hacer hombres de sus hijos, pero no tengo poder para solucionarle los problemas a todo el mundo.

¡Compréndanme! Y no confundan la amabilidad con la blandura: lo que había que hablar está hablado. La puerta por allí. Hagan el favor de retirarse.

Cifuentes hizo sonar un silbato y la patrulla llegó al trote desde los portones hasta el grupo. Apretando el codo de la madre, el cura le susurró:

—Vámonos.

Desde el pasillo de la terraza, el capitán ordenó con un dedo categórico que se procediera al despeje.

—¡Capitán! —gritó Vicky.

Al ver que éste la ignoraba arrolló los tramos de la escala y devoró el pasillo, hasta agarrarlo de los brazos, hacerlo girar, y contagiarlo de furia con ese breve toque. Las miradas se cruzaron torvas, coléricas, incompatibles, deslenguadas, vitriólicas. La muchacha hizo de su cuerpo un pulmón que la infló de nervios y metales cuando Cifuentes llegó a tironearla desde la mandíbula. Casi estrangulada, buscó mantener la vista en Flores cuando le dijo:

—¡Prefiero que mi hermano muera como desertor que como juedeputa!

De alguna manera la voz de Vicky dio el timbre más agudo de esa mañana del carajo. Los nervios de Flores le rebrotaron en la piel.

—¡Sos insolente, pendeja! ¡Meterte a hacer política en los cuarteles!

Sólo minutos más tarde, durante la segunda Cuba Libre, lamentaría haber golpeado con el puño el lomo de Cifuentes cuando le aulló: «¡Metela al calabozo!»

Las mujeres probaron abordar la escalera y rescatarla del sargento, pero ya los reclutas habían definido una figura táctica y con las armas unidas en una especie de muro las fueron empujando hasta la puerta del cuartel con la precisión de una máquina. Algunas tropezaron y, enredadas, tardaron en levantarse. Los soldados les metieron aguijones con las puntas de los rifles, más cautos que obedientes. Pero cuando el cura quiso proteger y frenar a doña Amalia lo conminaron a desistir con culatazos en regla. «Vos sos hombre, maricón», le dijo uno. La mujer perdió la imagen de su hija entre el polvo de la lucha, y como una vez que creyó ahogarse cuando la ola de Poneloya la tumbó hacia la playa y rezó con unción cada sílaba del Padre Nuestro al verse viva en esa arena caliente, sin saber qué fuerza la había arrastrado hasta allí, clavó su frente entre los barrotes del portón, y rezó Vicky y Vicky y Vicky y Vicky hasta desmayarse en los brazos del padre Pedro.

16

¡Algo fantástico, increíble, inverosímil, prodigioso, extraordinario, fabuloso, descomunal, grandioso, sublime, magistral, milagroso, formidable, colosal, tremendo ha ocurrido! ¡Vuelvo a casa!

¡Me mandan a León! En una semana a más tardar estaré con vos, y te voy a gustar, Victoria Menor. Cuando me veas con mi barba kilométrica, frondosa, selvática, laberíntica, espesa, acumulada, exuberante, tropical, patriarcal, propagada, flotante, bárbara, agreste y convulsa, vas a *rogar* que te bese, y entremedio de este maremoto de pelos va a salir como un tigre mi lengua a buscar tus labios, a mojarte con mi saliva bulliciosa tus encías matinales, tus dientes breves y perfectos. Cada día te quiero más. Cada día crece mi cariño por ti, mi amor mi pasión por ti y yo cada día crezco más para estar a la altura de las circunstancias. Para cargar el amor que te tengo me he puesto ampuloso como un elefante, pero también liviano como un gorrión.

«Alábate pato, que mañana te mato.»

¡Vicky, carajo: vuelvo a casa!

Somoza —¿qué hace esta palabra en mi carta?— se va. Se va y nadie sabe bien lo que va a pasar. Tal vez pongan a alguno de la familia durante algún tiempo. Pase lo que pase, nosotros no vamos a dejar de pelear y pronto caerá Managua. Todos estamos de acuerdo en no negociar con Somoza y su corte. Tampoco con los norteamericanos. Nuestras condiciones se reducen a dos palabras: todo o nada.

Nos han muerto a muchos compas. Menores que yo también. Chicos hasta de quince años. Cuando atacábamos, venían entre las balas para decirnos que querían entrar al Frente. Nosotros los espantábamos diciéndoles que no teníamos armas para darles. No importa, me dijo uno, la primera arma del primer guardia que caiga, ésa la agarro. Así anduvimos en Granada y Masaya: cada uno con otro atrás como un hombre y su sombra. Nuestro ejército aumenta en forma mágica se duplica quintuplica cada día cada hora dentro de unos días toda Nicaragua será sandinista menos la Guardia.

¿Y qué se cuenta de León?

Te pregunto para que ya sepás todo lo que me interesa saber cuando te encuentre. Ahí va la lista de preguntas:

1) Si me vieras en la calle de repente, ¿me reconocés?

2) ¿De qué color me creció la barba?

3) ¿Te acostarás conmigo el mismo día que nos encontremos?

4) ¿Dónde?

5) Si tu padre no me da el visto bueno, ¿le hacés caso o te rebelás?

Ahora en serio: ¿cómo está tu viejo? ¿Siempre cesante? Y tu hermano, ¿sigue con los humos en la cabeza y dándose aires? Me dijeron que había entrado a la EEBI, pero no puedo creerlo. Sobre todo conociendo a don Antonio. En todo caso, tenés que decirle que deserte, que se vaya a algún lugar donde se esconda. Después del triunfo no va a haber quien lo defienda, ¿sabés? Los curas menos que nadie. Dicen los comandantes que cuando triunfemos —¡ya estamos triunfando!— no se va a fusilar a nadie, que Nicaragua tiene que quedar limpia y transparente como el agua, dicen que ya bastante se ha matado. Son cosas que dicen, pero no sé cómo será más adelante. Somos muchos los que hemos visto cosas muy graves. Nos acordamos de muchos torturadores y criminales con nombre y apellido. Les sabemos hasta los lunares de la cara. Dicen los comandantes que ésos serán los primeros en irse. Dicen que a Honduras, a Guatemala o Miami. Que los que quedarán aquí son los que trapean el suelo. Los que después van a decir: nosotros sólo obedecíamos órdenes. Dicen que esa historia ya se sabe. Que lo mismo pasó en Alemania. Cuando todo todo esté en calma, yo también trataré de calmarme. Hace casi un año que duermo oyendo tiros, bombas y aviones rastreando. Y hace tres meses que probé la última cama, y hace cuatro... ¡Punto aparte!

¡Sí, señor! ¡Me voy a León!

Cuando me veás, no te asustés.

No tenés por qué quererme si no me querés. No pensés que voy a llegar a presionarte, ni que voy a darme aires entre los chicos del pueblo porque he hecho lo que he hecho, y he estado en las que he andado.

Te lo digo con toda responsabilidad, madurez, y compañerismo: si me querés, maravilloso genial formidable. Y si no me querés: ¡¡¡ME MATO!!!

En realidad ya no estoy más para tratar con el tiempo y un palito.

Bueno, Vicky, endenantes llego.

Pase lo que pase, tenga sed o hambre, lo primero será amarte.

A todo ful, te besa,

LEONEL.

17

A la hora de la siesta, sin ruidos precedentes, comenzó a llover. No hubo un balazo en la mañana y los guardias patrullaban las calles erizados. Los jeeps parecían ir palpando con sus neumáticos cada centímetro de pavimento. El agua caía a ratos copiosa, por momentos leve. En todo caso, el calor se empecinaba. El negro de la gasolinera usó el ventilador sobre las mejillas como si fuera una afeitadora eléctrica. Casi cabeceando el sopor en su caseta, vio venir el vehículo de la compañía de bomberos, la joya roja bajo la descarga de lluvia, hasta ubicarse junto al estanque de bencina. Reconoció al volante el agudo bigote de Plutarco, pero quien descendió de la bomba y vino hacia él, sacudiéndose el bolsón de cuero como si le produjera sarna, era Salinas. Cuando éste entró a la caseta, el gasolinero se puso de pie y aprovechó el cambio de posición para meterse el pequeño ventilador entre la camisa y refrescarse el pecho.

—¡Qué progresos, Sublime! —exclamó—. Cambiaste el triciclo por la bomba de incendios.

—Uno, no me digás Sublime. Salinas, simplemente Salinas.

—Bueno, hombre, bueno.

—Y dos, dejate de bromas porque se trata de algo serio.

El gasolinero reojeó el bolso.

—¿Una carta de luto?

—No vengo de cartero.

Salinas fichó al muchacho. Un boxeador que estudia en el primer round los flancos débiles del contrincante. El otro percibió el semblanteo a que era sometido, y cortó el aire. Entonces la lluvia se oyó nítida, mientras Salinas se rascaba la chirriante picazón sobre el omóplato.

—No vengo de cartero —repitió finalmente.

El chico clavó la mirada en la bomba de incendios y luego la trajo veloz a los ojos de Salinas.

—¿Idiay?

Salinas quiso parecer natural, pero al abrir los labios, sintió la compulsión de carraspear. Tras aclararse largamente la garganta, dijo:

—Vengo como «compañero».

El joven trajo el pulgar derecho a sus dientes y comenzó a mordisquearse la uña. Después cogió brusco un trapo de arriba de la caja y se puso a frotar enérgicamente el mostrador.

—En política no me meto.

—No tenés que meterte en nada. Tenés que ayudar no más.

—No quiero ayudar.

—Te voy a decir de qué se trata.

—No voy a oír.

—Peor entonces, porque si no querés oír ahora, después te vas a arrepentir.

—¿De qué me voy a arrepentir?

—De no haber ayudado.
—No quiero ayudar.
—Es que tenés que ayudar, porque no hay otra solución.
—No.
—¿No qué?
—No.
Salinas se aplastó la camisa gris sobre el sudor y de un zarpazo agarró la muñeca del joven impidiéndole que siguiera trapeando el vidrio.
—No podés decir que no a algo que no sabés qué es.
El gasolinero quiso librarse de la presión, pero encontró un vigor desconocido en las falanges del cartero. El mismo empeño se lo confirmó su mirada y la severidad de su barbilla.
Salinas fue aflojando de a poco el estrujón, y al retirar su mano, percibió cardenales en la muñeca del otro. Con la misma mano le dio unos golpecitos fraternos en el lugar ofendido.
—Queremos que vayás ahora hasta la bomba y la cargués de bencina.
El muchacho se alivió el moretón tras untarse los dedos con saliva.
—¿Y cuál es la «ayuda»?
—Que echés la bencina en el estanque del agua.
—¿Qué van a hacer?
—No es por no decirte lo que vamos a hacer. Pero eso te conviene no saberlo.
—¿Por qué?
—Es una cosa seria.
—Si no me decís, no lo hago.

—Si no lo hacés, voy a tener que raptarte.
—¿Cómo?
—Llevarte de aquí y guardarte hasta que todo haya pasado...
—¿Hasta que haya pasado qué?
—Te dije que eso no te conviene saberlo.
—¿Cómo me vas a raptar?
—Convenciéndote con buenas palabras.
—Y si me raptan, ¿dónde me llevan?
—A la compañía de bomberos.
El chico acercó los ojos al vidrio e intentó confirmar si en el vehículo estaba realmente quien tenía que estar.
—¿Es Plutarco?
—Sí. Pero no se lo contés a nadie.
—¿Qué van a hacer?
—Vamos a meterle candela al Comando.
—¿Cómo?
—Le vamos a tirar bencina con la manguera...
—... en vez de agua.
—Exacto.
—Y cómo van a mojar el Comando. ¿Van a decir que lo están regando?
El muchacho apoyó la frente en el vidrio dejando que el sudor se mezclara con la humedad de la ventana. Allí se quedó disfrutando la estruendosa arquitectura de la bomba, como si dudara de su existencia. La persistente lluvia fue una melodía que acunó su dispersión, hasta que la mano de Salinas en el hombro lo trajo de vuelta.
—¿Qué pensás?
—Hay cuatro gasolineras en el barrio y se te ocurre venir donde el negro.

—Si los muchachos se decidieron por vos, por algo será, ¿no?

El joven ladeó el cuello y tanteó a Salinas desde abajo. Lentamente, como el mercurio subiendo en el termómetro, fue llenando de brillo sus ojos negros hasta que parecieron dos perfectas robustas uvas clavadas en el corazón de la lluvia.

—¿En serio, Salinas?

—En serio.

Fue hasta el colgador donde pendía grasiento su impermeable plástico, se lo puso abrochándose un par de botones, y coronó su hirsuta melena con el gorrito de la Texaco.

—¿Cuándo? —preguntó.

—Cuando digan los muchachos. Tal vez mañana, tal vez pasado.

El chico salió al asfalto que lo separaba de la bomba y le hizo una seña desde la frente a Plutarco. Éste vigiló un par de segundos el espacio —perfectamente vacuo, por la lluvia, por la siesta, por el repliegue que preparaba la ofensiva final— y de un salto fue a correr la manija del estanque de agua. Cuando el gasolinero estuvo a su lado y enchufó la manguera de nafta con la precisión de un cirujano, le apretó cordialmente el hombro. Los litros crecieron en el marcador a la misma velocidad que las córdobas, hasta pasar la centena.

Plutarco metió la mano en el bolsillo del pantalón y sacó un fajo de billetes menudos, que en sus manos pequeñas y finas pareció una fortuna.

—¿Cuánto te debo?

El gasolinero miró desaprensivamente el marcador y se encogió de hombros.

—Nada, pues.

—Estás loco —le dijo Plutarco alargándole el fajo con la decisión de un estilete—. Es tu trabajo.

El joven consideró la cantidad en la mano del bombero, se apartó con la manga del impermeable la lluvia de las pestañas, y dijo con su voz adolescente, cantarina, delgada:

—Nada, hombre. Ya que nos mojamos los pies, mojémonos también el culo.

18

Reventó la tormenta y la lluvia rebotó a pedradas en el patio del cuartel. El sargento Cifuentes asomó la nuca buscando que el impacto del agua le aliviara el insomne calor. Mientras se frotaba con la ruda toalla de servicio su pelo tupido, breves tachuelas, bebió un tercio del whisky de un solo sorbo. Cerca de la medianoche, el pabellón de reclutas había enmudecido bajo el efecto de esas mochilas cargadas de arena a pleno sol. Mientras ellos corrían, él disfrutó de una corta, aunque húmeda, siesta. En la traposidad de esas sábanas había concebido el plan provocándose fiebre en la anticipación de sus detalles. A la hora del rancho, estudió los cutis insolados de su tropa, satisfecho de la avidez con que consumían las cervezas heladas que él personalmente había pedido. Gran ejemplo para los muchachos. Después del castigo, momentos placenteros. La política del péndulo, le enseñaron en Panamá. Con tus chacales una de dulce y una de grasa. Rompeles el culo a patadas, pero en la noche invitalos un trago. Todos esos indios quieren un padre. Dales en el gusto. Agustín con el vaso en los labios. Quiso comparar sus trazos con los de su hermana, pero al cruzarse las miradas bajó la vista sobre el asado con arroz. Estuvo punzando los granos, hasta decidir que no tenía apetito. Al menos no de esto. De reojo volvió a espiarlo. El chaval con sus ojos hundidos, la nariz resuelta, la sonrisa desgranándosele en los dientes, podía quedar para uso exclusivo del capitán Flores. Que fuera su niño de mandados, su amanuense, su lameculos y lustrabotas, su chofer o su paño de lágrimas. Pero la hermanita, con ese pelo mañoso y esas tetas que le temblaban cuando se puso a aullar en el patio, tendría otro dueño. Esa boca estaba hecha para lamer, besar y chupar, y no andar gritando babosadas sandinistas. De boca a culo sería de este servidor. De este pecho nicaragüense conocido a mucha honra con el nombre de Mario Cifuentes. Buen padre de familia, pero también macho cabrío para servirlo. Para servírmela. Dicen que a caballo regalado no se le miran los dientes. Y que a la ocasión la pintan en bolas. Mejor cuando es yegua. Potranca en cueros. Sin el pellejo duro de las bestias pero con ese brillo en los pendejos, carajo. Y la chispa en los ojos revoltosos e insolentes. El sargento Cifuentes, mi amor, le va apagar esos ojitos ariscos como velas de un cumpleaños. Gran torta, gran sabrosura. No mirés, le voy a decir cuando le esté mordiendo las tetas. Gran función esta noche, pendeja. Sonido estereofónico y cinerama. Y yo actor y espectador de esta película donde usted goza amor y yo me la trabajo con este fuego que me sale por los poros, y que me brota por aquí, y que crece, y se me pone tieso como madera entre los muslos. Dura la vida militar, pero tiene sus compensaciones. Y usted, mi amor, no va a ser tan babosa de estarse manoseando sola en el calabozo cuando tiene a sus órdenes un militar de rango, dos jalones y tres medallas, que hasta con plata la puede mandar de vuelta a casa. Y a lo mejor, mamacita, quién le dice si después no vuelve con sus propios pies apetecibles a buscar más donde su servidor. Más plata y más palo, pues.

Vino hacia el calabozo sin protegerse de la lluvia. Entre los granizos y relámpagos, acudió a la botella aliviándola de otro tercio. Mientras tragaba, se dejó empapar por esas gotas viscosas como baratas. Se frotó el rostro en ellas y con paso resuelto, que se fue licuando a medida que se acercaba a la mazmorra, llegó hasta la celda de castigo.

Su respiración le pareció contagiada por la borrasca y el eco de sus pasos en el pasillo de granito aún lo persiguió cuando se detuvo. Un charco se había formado a sus pies. Hundió una mano entre el cinturón y su piel, y estuvo buceando hasta acomodar el sexo en el calzoncillo. Con los mismos dedos barajó luego el manojo de llaves y clavó la precisa en la cerradura. El pestillo cedió a la segunda vuelta, y Cifuentes irrumpió avasallador como en los allanamientos. En la oscuridad, el cuerpo de Vicky no era más que un bulto replegado en la cabecera del catre. Al manotear el interruptor, pese al polvo y los cadáveres de polillas que la impregnaban, la bujía soltó su luz de interrogatorio. La muchacha puso un brazo a centímetros de la frente para protegerse del fogonazo, y por debajo de él, reconoció al hombre que la había traído a rastras a esa celda.

Cifuentes tuvo la sensación de que el escenario de su sueño, de su film, le había sido escamoteado. Su fantasía no le previno del rigor del catre, no le quiso adelantar a esa mujer refugiada en la pared como una huérfana. Si parecía que quería fundirse en la muralla, empalarse en ella. Nada que ver, mierda, con la hembra de caderas vertiginosas que me calentó cuando se me llenaron los dedos de sus olores mientras la arrastraba. Torvo, pesquizó en el cuello esa vena que horas antes lo había electrizado. La arteria que le subleva los senos bajo el algodón.

—Es medianoche y vos sin encender la luz —dijo.

Habituada a la bombilla, ella bajó el brazo que la protegía, y lo trajo lentamente sobre el hombro derecho.

—¿Cómo quiere que sepa si es de día o de noche?

El sargento constató con una sonrisa la impenetrable atmósfera del calabozo, sin rejas ni resquicios. Una perfecta caja de fondos. Una isla muy remota, mamacita, donde estamos solos tú y yo. Un barco a la deriva en el Caribe con un capitán caliente y tú la única tripulante. Cifuentes dio vuelta la llave en el cerrojo, y tras ubicarse bajo el minúsculo tubo que echaba el hilo preciso de aire para sobrevivir, la arrancó de la puerta y se la calzó de revólver entre la piel y el cinturón.

—Vine a verte, pues —dijo sonriendo.

Puso la botella descorchada sobre el catre e invitó a Vicky con un gesto a que se sirviera. Ella ignoró el convite y concentró la vista bajo los párpados gruesos como monederos del militar, donde parecía residir toda la expresividad de su cuerpo. Quiso plegarse más hondo en la pared y supo que no le quedaba ya espacio. El hombre se sentó en medio del camastro sin que ella pudiese evitar que la punta de sus pies rozaran el fieltro de sus pantalones. Se echó un trago corto, y luego se estuvo muy quieto hasta sentir que el whisky le trepaba echando chispas la columna. Con una sacudida del cuerpo, que imitó a los perros mojados en la playa, recibió el beneficio de ese escalofrío y emitió un ruido bronco. Al levantarse, desprendió los botones de la camisa. Con el torso libre, agitó la prenda mojada, ventilándola. Puso cauto uno de sus pies en el catre, probando su aguante, y sólo entonces lo trepó para envolver la guerrera mojada alrededor de la bombilla atándola del cable con sus mangas.

—Más íntimo —fue su comentario.

De un salto estuvo otra vez sobre el cemento y atracándose a la muralla tomó perspectiva desde donde juzgar su flamante escenario. Le guiñó un ojo casi diciendo «se hace lo que se puede» y entonces puso su vientre a centímetros de la cara de la chica. La agarró de las sienes y empujó su cabeza hacia adelante intentando que su boca le contactara la bragueta.

—Vine a hacerte compañía, pues —repitió con la voz súbitamente alterada, mordida en el pecho antes que en los labios.

—Soltame —le advirtió Vicky usando el mismo tono con que en los crepúsculos de Subtiaba había rechazado exitosa las incursiones de rodillas de los más procaces pandilleros mientras la revolución andaba recién a tumbos en los pueblos de Nicaragua, y aún no había éxitos militares, ni asaltos a las cárceles, ni tomas del Parlamento, sino sólo panfletos ordinarios, masacres en los paredones de cemento, campesinos arrojados al mar desde helicópteros, compañeros desangrándose en la esquina del almacén con esa munición tan pequeña que dejaba ese forado por el que manaba tanta muerte. «No ha muerto», era la frase invariable en los homenajes clandestinos del liceo. Pero ella había visto a los muertos en la esquina del almacén. La pétrea palma de Cifuentes le apretó la cabeza contra la sarga de su pantalón, dejando escapar un gemido. La muchacha quiso desprenderse pero Cifuentes no tuvo reparo en estrellarle la nuca contra el muro. A un paso de distancia, se bajó juntos los pantalones y los calzoncillos, y expuso el pene a centímetros de sus labios, su rigidez ribeteada de humedad. La chica levantó su muñeca izquierda y se llenó con ella los dientes. Al lado de la ropa derramada en el suelo, descubrió accesible la llave. Tocando apenas la mano que defendía su boca, Cifuentes le dijo:

—Dejáte por la buena.

Vicky fue apartando sin prisa el brazo que la defendía, y aprovechando la obsesión del hombre de acercarle el sexo a sus labios, se dejó caer sobre el piso y capturó la llave. Enredados los pies en sus propias prendas, el sargento sólo alcanzó a atraparla cuando ya la llave había entrado en la cerradura. Le estrujó los senos por encima de la blusa, jadeándole sobre el lóbulo izquierdo.

—Sos chúcara, pues.

Las manos subieron desde los senos hasta la garganta con una presión que a Cifuentes le pareció leve y a la chica agónica. La sostuvo durante un momento, hasta que los dedos de Vicky que habían apenas arañado su piel con sus uñas romas, aflojaron desarmados por la inconciencia. Cifuentes la desprendió sobre el lecho, deshecha e informe como una sábana. La breve lucha había sacudido el cable de la bujía y ésta aún onduló a latigazos sobre sus cuerpos. Cifuentes volvió a proponerse. Vicky torció el rostro hacia la muralla y apretó las rodillas cuando la mano del sargento anduvo sobándole los muslos. Impregnando sus dedos en las rótulas de Vicky, venció su resistencia con la avidez de un nadador. Cuando la muchacha adelantó las uñas intentando el zarpazo que le rajara el pómulo, la golpeó en la sien derecha, el puñetazo una coz. La cabeza de Vicky estalló contra el muro, y cuando quiso gritar su paladar estaba inundado de lágrimas. En un segundo pensó que ésa era la víspera de la muerte: una asfixia rencorosa que se despide de las buenas cosas del mundo, el balbuceo de una sangre y el fluir de la hemorragia, la frágil película de sal sobre el labio partido: estaba en la cafetería de la universidad repasando una lección de Física y dos estudiantes ensayaban acordes para *La Gloria eres tú* en guitarras metálicas que desprendían destellos al ser pulsadas, y ella sonreía ante la perfección del azar que en un instante de remota delicia le brindaba la canción predilecta de José Antonio Méndez, su padre la desafinaba bajo la ducha, y León ardía hasta en la sombra de los árboles: volvía a la universidad, patios, gritos, la policía con bastones y balas, el taladro de la silla de práctica, el minucioso oro en la bandeja con espejuelo de su anciano tutor (cuando muera vos heredás todo esto), raro, ella moriría al fin de cuentas antes, el discurso inaugural del decano rugiendo: «defenderemos con la vida la autonomía universitaria», las frases glotonas y salivosas de los políticos que mandaban las tropas de la Guardia a asaltar los mitines y hablaban de los templos del saber donde se forjan las futuras generaciones. Con la mano espesa de Cifuentes accionando su vagina, regresó un hilo de conciencia. Sólo le quedó dando vuelta una imagen: un grupo de jóvenes con libros, tazas de café, cigarrillos humeantes, barcos en los puertos, trenes sobre puentes, que ponían las manos como bocinas en sus bocas y le gritaban algo: y ese grito era al mismo tiempo camino, era una clave, era de pronto la palabra que no podía oír, la que la levantaría de la muerte, la posibilidad de sobrevivir la torva humillación que el sargento le procuraba, ahora desnudo, cobrizo contra el cemento gris del calabozo, el puño con el pene obseso frente al labio herido, hambriento de su lengua. Vicky supo en una fracción de un ínfimo instante que no iba a llorar. Si podía no llorar, también podría, acaso, pensar. Y al segundo detuvo los ahogos y las convulsiones. Tuvo el control de un atleta sobre sus fibras y nervios. No había que morirse, se dijo. No había que irse muriendo así. De este modo, de esta mierda. Puso primero categórica la mano frente a su boca, abrió los ojos para mirarlo al epicentro de su calentura, y buceándolo entre sus párpados mareados de sudor, le dijo:

—Me voy a dejar. Pero sacame eso de encima.

El sargento jadeó un segundo de reflexión, y fue apartándose hasta quedar de pie junto al catre. La muchacha se arrancó la blusa, el sostén, descremalló el cierre del jeans y tiró del elástico de sus calzones dejando todo en orden, una pieza sobre la otra, junto a la precaria almohada de paja y saco harinero. Untando con saliva los labios de su vientre, flectó las rodillas y entreabrió los muslos. Cifuentes condujo en la mano su pene hasta la vagina y tras meterlo, se desplomó como un cerro sobre un camino rural, un arroyo aledaño.

—Sabía que te iba a gustar, pendeja —le sopló al oído mientras hundía la cadera temiendo que la calentura lo traicionase y se deshiciera en ella ya, ahora mismo, con esas gotas informes, gelatinosas, breves, y que el banquete del sudor de Vicky en su lengua durara lo que un suspiro, y que en un instante tuviera que ocultarse dentro de su calzoncillo de nylon, sus pantalones mojados en el piso de cemento, su mirada de padre de familia travieso, la camisa que tendría que desprender del cable para que el calabozo se iluminara como un tajo, el filo de la navaja; en un minuto, en unos cagones y jodidos segundos, tendría que cepillarse el pelo de soldado ejemplar, rascarse el pómulo de sargento meritorio, y buscar una broma que no se le ocurriría para aliviar la atmósfera, una cacha más en la vida, chavala, una cana al aire. Y la eyaculación era un perro que ya le ladraba, que le abultó todavía su pedazo corto y brioso —exhibido en la ducha frente a los clase, gritándoles «¿querés?», cuando los sorprendía curioseándoselo— y la frágil película de escrúpulos anticipados fue pulverizada por el rugido que le fulminaba la columna, que le encabritaba el espinazo y que se tradujo en las únicas palabras a mano:

—Te gusta, puta, te gusta —le dijo.

Victoria se sobó con los nudillos la punta de la nariz y le contestó serena:

—No me gusta, cabrón. Me dejo porque quiero vivir para matarte.

El sargento percibió que el chorro ya bombeaba su sexo y le mojó la oreja con la lengua inundada de saliva.

—Lo cantado y lo bailado —rugió.

19

Después de la emboscada

Oscurece pronto, comienza a llover y
se borran las pisadas de los guerrilleros.
Hay cansancio en nosotros;
el llano que hay que pasar es grande,
el lodo y el agua nos llegan a la cintura
y ahora todo está oscuro, ni una estrella se ve en el
[cielo;
la columna camina en silencio.
Sólo un guerrillero piensa escribir un poema.
Sigue lloviendo, los zancudos salen de las yolillas,
el hambre y el sueño son intensos. Me arrecuesto y se
me clavan espinas que entumecen mi cuerpo.
No se oyen disparos,
estamos ya cerca del campamento;
se da la orden de descanso. Un compañero,
mientras se fuma un cigarro, me pregunta:
¿es cierto que tú eres poeta?

20

Cuando el Obispo agotó la paciencia de su secretario haciéndole discar sin éxito ni esperanza el número del cuartel de la EEBI, mandó al padre Pedro a hablar personalmente con la señora Menor. Hizo el siguiente mensaje con una vieja lapicera de penetrante pluma: *Querida señora Menor: El teléfono del cuartel está descolgado, interceptado o permanentemente en uso. Le ruego me disculpe por no poder allegarme hasta allí, por razones que no puedo argüir aquí, pero que de alguna manera usted sabrá comprender. Seguiré intentando comunicarme mañana, pasado, y todos los días a todas horas. En tanto, le recomiendo que intente el rescate de su hija a través de un abogado. El Dr. Rivas me parece el hombre más propicio. Rogando a Dios por usted y su hija, le saluda atentamente, su Obispo.*

La madre de Vicky dobló el recado en sus pliegues originales y se lo devolvió al cura sin comentarios. Antonio vino hasta el sacerdote, volvió a desdoblarlo y leyó con gravedad. Arrugó el papel y lo arrojó ostentosamente al canasto junto a los tarros de conservas de la cena y viejos ejemplares de *Novedades*.

—El doctor Rivas es somocista —dijo—. Entregarle el caso de mi hija a él sería como amarrar el perro con salchichas.

—Es un buen abogado —intervino el cura.

La madre apartó a Antonio y le puso severamente un dedo vertical en los labios. Cogió de la silla su cartera de pita y se la colgó del antebrazo.

—El Obispo tiene razón —comentó—. Rivas es el hombre para rescatar a la Vicky.

—Estás loca —dijo Antonio.

—Los abogados nuestros están todos presos o muertos —dijo Amalia de pie en la puerta de la cocina—. Los que quedan vivos están amenazados u ocultos.

—Con qué vas a pagarle.

—Las mujeres la metimos en esto y las mujeres vamos a sacarla.

—¿Querés que te acompañe?

—No, gracias.

La madre fue hacia el dormitorio de Vicky, y allí su ausencia la asaltó desde su típico desorden como un perro que la tirase contra la pared. A solas, abriendo la cómoda para rastrear los documentos que llevaría al abogado, se limpió los párpados inscritos de finas arrugas con la punta de la primera prenda que saltó: una camiseta de algodón que ceñía el comienzo de los senos de su hija como a una duna lisa y tostada.

En la fina caja de lata que alguna vez tuvo chocolates regalados en su cumpleaños por la mujer más vieja del pueblo y cuya cubierta representaba una escena de cetrería inglesa con lánguidos caballeros de rojas chaquetas y plácidos caballos comiendo terrones de azúcar de las manos de doncellas tan muelles cual pálidas, encontró los documentos indispensables: la cédula de identidad, el certificado de nacimiento, una foto tamaño pasaporte prendida a una hoja manuscrita con su letra irregular, sensible a los matices de su respiración, a las efervescencias de sus arrebatos y a las curvaturas de sus encubrimientos. Sentándose en la cama, aún en desorden, la madre desprendió el clip de la foto con sus uñas drásticas y fue leyendo el texto como si hubiera olvidado el objetivo de su incursión en la pieza. La azul caligrafía de firmes trazos abundaba en pomposos signos de exclamación con la forma de una bujía.

¡¡¡POETA!!!

Tu carta es la cosa más amada entre todas las cosas que he acumulado desde mi infancia, incluidos osos de peluche, retratos de primera comunión y las zapatillas de ballet de cuando yo también soñaba con ser artista. Pero una cosa son los sueños y otra es la vida. En vez de artista casi salí dentista. Como a vos te gustan las palabras, habrás notado que dentista y artista terminan en las mismas aristas. (No me río de vos, poetazo, sé perfectamente distinguir entre la ¡¡¡POESÍA!!! y la rima.) Pero ni siquiera dentista seré porque me echaron de la Universidad, pararampampám. Me dijeron «canino-canino molar-molar, la Vicky se va». Imaginate que me faltaba apenas un año. Ahora dicen que tal vez podría seguir en Costa Rica, en la isla. En algún otro país. Pero como a nosotros nos llueve sobre mojado, mi viejo quedó cesante y desde que vos desapareciste vivimos con algo de plata que trae mi hermano, y el resto del tiempo de milagro o de casualidad. Ya sabrás por nuestro curso común de latín elemental que este fenómeno es conocido por el «Síndrome Nicaragua». ¿¿¿Mal de muchos, consuelo, de tontos????????

¡¡¡¡No, señor!!!!!!!!

Cada uno en lo suyo. Vos, un tigre elástico y saltarín turisteando por ahí, y yo un gato faldero e insidioso metiendo mis garritas en cada casa de esta ciudad, que se prepara para recibirte no con galas pero sí muy oxigenada!!!!!

¡Tu carta llenó la casa y mi vida de aire!

¡Cuando la leí me daba la impresión de que de repente entrarías volando!

Me puse húmeda. Tuve que cambiarme. Cuando estés conmigo hablame así como me escribís, Leonel.

Leonel, vos sos mi amor.

Te perdono que te hayás ido sin avisar.

Pero aunque estés donde estés y yo esté donde esté, vamos a aclarar algo ya. Yo soy tu amor, pero TUYA no soy. Vos sos mi amor, pero MÍO no sos. He pensado mucho todo este tiempo en lo que es ser mujer y estoy bastante estricta en muchas cosas que no estoy dispuesta nunca más a aceptar. Para empezar, noto en tu carta que hablás mucho de vos y los otros turistas como si en tu grupo no hubieran mujeres, y yo sé, positivamente, que en esos tours viajan muchas damas. Pero no contás nada de ellas, ¿no? ¡Igual que si no existieran!

El domingo después de misa hubo un acto cultural en la parroquia y una muchacha leyó un poema de Gioconda Belli, que dicen que anda por ahí. Lo copié para que sepás cómo escribimos poesía las «minas»:

Quiero una huelga donde vayamos todos.
Una huelga de brazos, de piernas, de cabellos,
una huelga naciendo en cada cuerpo.

Quiero una huelga
de obreros *de palomas*
de choferes *de flores*
de técnicos *de niños*
de médicos *de mujeres*

Quiero una huelga grande,
que hasta al amor alcance.
Una huelga donde todo se detenga,
el reloj *las fábricas*
el plantel *los colegios*
el bus *los hospitales*
la carretera *los puertos*

Una huelga de ojos, de manos y de besos.
Una huelga donde respirar no sea permitido,
una huelga donde nazca el silencio
para oír los pasos
del tirano que se marcha.

¿Verdad, poeta, que si el Frente tuviera tantos rifles como poetas a esta hora ya estaríamos celebrando en la calle?

Ahora te diré lo que voy a hacer con vos

cuando llegués. En cuanto te vea, te voy a poner una flor en la oreja y revolveré todo tu pelo como si mis manos fueran aspas de molino o dos niñas temblorosas perdidas en el bosque. Después vamos al baño. Te meto a la ducha y te jabono hasta dejarte hecho un querubín. Después voy a echarte litros de agua tibia hasta que tu piel quede brillante y yo pueda reflejarme en ella. En seguida empiezo a besarte desde el cuello para ir bajando milímetro a milímetro hasta llegar allí donde vos sabés y engullirte lenta y largamente. Después, sin secarte, te tenderé en mi cama. Esta modesta persona aquí presente será tu toalla. El poema se hará realidad. En tanto nos quedará todavía alguna lágrima, esta vez para la alegría.

Tu amor,

VICKY victoriosa.

21

Venimos desarmados, padre Pedro, dijeron los muchachos, pero igual me los cacho de armas. Sólo al costado derecho, colindando con el caserío, los vitrales intactos. Hacia el lado de la plaza, todos rotos por las pedradas o los balazos. El cura personalmente barrió los destrozos tras cada enfrentamiento. En la noche procuraba recomponer los fragmentos de sus figuras favoritas. Padre, venimos desarmados, habían dicho los muchachos, pero igual me los cacho de armas. El capitán Flores ha sido muy buena gente conmigo, pensó, mientras hurgaba entre el lienzo, entre los cinturones, bajo sus camisas húmedas. Hasta con su familia tuve buenas relaciones. Mucha relación con la familia del capitán Flores. Yo le he dicho personalmente en su cara que es deshonesto estar en la Guardia, en la EEBI. Yo le he dicho cara a cara que con Somoza ni a misa. Y se lo dice un cura, le dije. Por mucho que me digan que no traen ni una navaja, me los cacho uno a uno. El capitán Flores tiene fama de decidido, tiene nombre de hombre fino, su familia se fue a Miami, y él aquí. Se confesó conmigo. Usted no me creerá, padre, me dijo, me quedo por mis convicciones. Es deshonesto, le dije yo por la rejilla del confesionario. Le tolero que hable así porque usted es el cura, porque yo soy católico, y porque lo considero mi amigo. Pero no dejo que ningún otro me diga eso, don Pedro. ¿Cómo cree que lo vamos a engañar a usted, padre? Le juro que venimos desarmados. Váyanse a la casa, muchachos. Pasó el tiempo de los carteles, de las tomas, de los gritos en las calles. Esta batalla ahora se gana a balazos. Nada más poner el lienzo no más en el campanario. Nos quedamos en El Calvario hasta la medianoche. Todo en calma, sin gritos, mire las manos, más vacías que las de san Francisco. De a uno, jóvenes, me los voy cachando de armas. Flores quedó a cargo de la ciudad de León. Flores, personalmente. No son alfiles ni peones, babosos. Es el propio rey. Váyanse a la casa, muchachos. Los jóvenes desplegaron el lienzo. Letras rojas sobre el fondo blanco: «No más muerte en León, que se vaya el dictador.» Los mismos argumentos de su Obispo, padre, dijeron los muchachos: la jerarquía eclesiástica. Acuérdese de Puebla, de los curas de izquierda. De Helder Câmara. De a uno me los voy revisando a los cabrones. Los santos de yeso descabezados a ráfagas de metralleta, el Obispo amenazado de muerte, ni un peso de los impuestos oficiales para el arzobispado, los sacos limosneros en la misa unas mangas sin fondo. Me los voy a cachar hasta debajo de los calzoncillos, cabrones. El que no anda armado hoy en León o es tonto o se queda en casa. Se trata de un cartel, padre. De un simple cartel en el espíritu. ¡En el espíritu del Vaticano! me van a decir ahora, carajetes. Es Flores quien tomó a su cargo León. Flores a cargo de León y alrededores. Soldaditos hechos y derechos. Vienen de la EEBI, buena puntería, entrenamiento perfecto. No son los guardias borrachos y drogados que arrancan cuando oyen Patria o Muerte.

El helicóptero un ojo parpadeando sobre el zócalo. La multitud que acudía a argumentar en favor de los muchachos. Déjelos, padre, gritaban. El cura apuntó con el dedo al helicóptero, y después se encogió de hombros. Nos caerán con zopilotes, con aviones, con lo que tengan. ¿No oyeron la radio? ¿No leen los periódicos? No saben que Somoza juró quedarse hasta el fin del siglo veinte.

Padre, imploraron los muchachos.

El cura siguió imantando al helicóptero. El traqueteo de las alas le profetizaba el de las metralletas. Garand, Fal, Punto 30, Bazooka, Punto 50. Hasta hace un año repartía figuritas de santos en las poblaciones, y ahora tengo un arsenal en la boca, más grande que el arca bíblica. Por primera vez este año han sido más los entierros que los nacimientos. El helicóptero un acento borroso en el cielo, la corona vertiginosa. Acecha.

Los estudiantes treparon al campanario. El padre no pudo oír las voces de los niños que le tiraban de la manga. Hacía un año que portaba esa guayabera blanca, y había dejado la solemne sotana para las pompas fúnebres, para las confesiones. Absorto en su presentimiento, un muerto en su fosa.

Debí haberlos cachado bien de armas. Con un detector de metales, con un imán del tamaño de la proa de un buque. ¿Quién anda desarmado hoy en León? A veces yo mismo dudo si de mis manos no saldrán tiros, si mis propias uñas no son granadas que explotarán en aeropuertos, estaciones o cuarteles de la Guardia.

La multitud aleteó hacia el helicóptero, abucheándolo. Bocinas con sus bocas. Tengo el presentimiento, dijo el cura, creciéndome en el estómago. El zopilote con su ronroneo metálico se alejó hacia el fortín, lejos del hervidero de gente, como si esas manos desesperadas tuvieran la fuerza de proyectarlo fuera de la ciudad. El cura tuvo la idea de que lloraba, que la sangre le corría con lágrimas. Dios mío, dijo. Y los chiquilines le tiraban la manga de la guayabera. ¿Por qué llora, padre? No estoy llorando, carajo.

La radio del helicóptero comenzó a emitir órdenes. Agustín con el motor del jeep encendido, los audífonos aplastándole las orejas, el capitán Flores fumando largamente, los ojos fijos en el zopilote que venía hacia el fortín. Agustín le extendió los audífonos y Flores pulverizó el cigarro en el suelo al reconocer la propia voz del Chigüin como si el hijo de Somoza estuviera de cuerpo presente con su aliento devastador.

«¿Flores?»

—Sí, mi mayor.

«Bueno, pues. Esto se acabó. Te venís a lo del Calvario y le metés una batería de la gran puta, ¿oíste?»

—Sí, mi mayor.

«Te dejás de fineza, pendejo, o vamos a terminar cosechando margaritas en Paraguay. Me los bañás, ¿entendés?»

—Sí, mi mayor.

«Juelagranputa, la insurrección está en todo el país. Si perdemos, te podés ir despidiendo de tu casa y de tus huevos, pues.»

—¿Qué hago?

«Te venís a la plaza del Calvario. Hay un vergazo de gente allá. Entrá volando pija y a los cabrones que pusieron el cartel, me los tirás del campanario.»

—Sí, mi mayor.

«Y cuidate, bróder. Te aprecio como a un hermano.»

—Gracias, mayor.

Encendió el nuevo cigarrillo en cuanto desconectó el transmisor. Pudo percibir que la estridente voz había alcanzado a los reclutas más próximos, quienes insinuaron cuadrarse cuando la mirada del capitán los sorprendió. Vio al helicóptero descender sobre el fortín y se mantuvo pensando y repensando hasta que el tableteo de su hélice se apagó. Luego revisó la disposición de sus hombres. Las Punto 50 a cargo de Cifuentes en las camionetas le parecieron la magnífica coraza que le haría entrar como un caballero medieval al torneo, enfundado en oro, destellando balas, su solo brío una lanza que subyugaría al pueblo sin necesidad de disuasivos complicados. Era el operativo que el Chigüin en persona le pedía a Flores, y él era el capitán Flores. El estilo del capitán Flores, el que tendría que dar corte, perfil, filo, precisión al asalto. El griterío de la muchedumbre se oía ahora ronco y lejano. Aspirando una vez más el cigarrillo, Flores pensó en la cara del Chigüin si lo viera tan vivamente involucrado en esa dilatación, aspirando el humo hondo, calmo. En Panamá le habían enseñado a imponer esos segundos trascendentales antes de una acción de envergadura. Lo que dure el cigarrillo, se dijo. Lo que dure cada partícula de este rico tabaco. Agustín acaricia el volante. Los reclutas habían oído la voz del Chigüin Somoza, pero acaso no sus palabras. Tal vez ignoraban la orden que vendría cuando él, Flores, tuviera que sacar el revólver, apuntar a los estudiantes del Calvario y gritar —con una voz que anticipara y provocara los balazos— mátenlos. Una voz como la del Chigüin, sin matices ni dudas. Sin avances, paréntesis ni retrocesos. Mátenlos, iba a tener que decir. Anoche —se apartó una legaña— en la tele un periodista norteamericano había entrevistado al presidente: «Si la guardia viene y le dice, General, es necesario que se vaya, ¿se iría usted?» El hombre había sonreído. Repuso breve: «No.» «¿No podrían forzarlo a partir?» El presidente había dicho: «¿No podría entonces yo usar la fuerza contra ellos?» «¡Pero ellos tienen las armas!» «Sí», dijo Somoza, «pero yo tengo al pueblo».

Riñones de goma hay que tener para sufrir el pavimento de León. Si por cada hoyo se le pagara un córdoba a cada habitante, esta ciudad estaría llena de millonarios. Y culo de fierro, en los jeeps. Y el pellejo seco para no chorrearlo gota a gota, segundo a segundo. Humedad de mierda.

«Vamos», les había dicho a los soldados. Otro

cigarrillo pisoteado en la arena del campo de entrenamiento. Su gris huella. ¡Las cosas que uno a veces se queda mirando! Como usted quiera, Chigüin. La represión es un rumor: comenzás a inflarla y no para hasta que revienta. Cada vez más trabajo, cada día menos aire. Las murallas sospechosas, las casas de putas con párpados debajo de los espejos. «Vamos», les dijo a los soldados. Los jeeps y las mopetas con el mismo y único estruendo. Y atrás el tanque. Tantas veces con la sola compañía de esa bestia, los subversivos han sido disueltos. El fierro que aguanta, padre, el fierro que mata. Dentro de cada bala, padre, un muerto. El ejército es la patria más numerosa. Dios, la patria, y el ejército. En ese orden los quiero. Cálculo simple y eficiente: más balas en nuestros arsenales que soldados sandinistas. Y aún —lo dijo el Chigüin, se lo confirmo yo— no hemos comenzado a disparar. Una cosa es el cacheo, el castigo ejemplar, y otra la ráfaga. Una manzana entera desgranada por el aire, punto final, padre. El ejército está aquí para imponerse. Lo hacemos por ustedes. A nadie le gusta matar. Sería fácil devolverse y lavarse las manos. Decirle a Agustín «llevame al aeropuerto, en vez de a la iglesia del Calvario». Cuidate, negro, me escribe Marta.

En la plazoleta la gente los ve llegar. Pero no arrancan como antes. Se quedan olfateando la muerte, con las narices desfachatadas. Hay que voltearles por lo menos a uno para que chillen y se espanten. Y entonces comienzan las viejas con sus rezos y sus gritos al cielo. El olor de la pólvora bajo el sol. Lo adivino.

El cura se dejó abrazar por María Molina y leyó el cartel sobre la torre del campanario. Los chicos saludaban a la gente. Estudiantes en un día de fiesta. En este país nadie le toma el peso a la muerte. Se muere ya por hábito. La María Molina le había pasado el brazo sobre el hombro. ¿Alguna vez tuvo a una mujer tan cerca? ¿Por qué llora, padre Pedro? Él tampoco nunca había visto un cura llorando. Los presentimientos son más arrasadores que el aire. Te llenan las venas, te las remecen. Es un cuerpo más grande que el tamaño de uno, un ahogo. Dos cosas raras, piensa don Antonio en las gradas del Calvario mirando a la María Molina y al cura: una mujer que abraza a un cura, un cura que llora. Nunca, ni en los films, había visto un cura llorando. Don Chepe aprieta el brazo de don Antonio y le dice ¿oís? ¿Oís? es la pregunta. ¿Oís? El silencio que comienza a apretarse sobre la plazoleta cuando se escucha entre los vítores de los estudiantes el acezante traqueteo del Sherman. ¿Oís? Por un instante callan. Los muchachos en el campanario ocultan los puños voluntaristas. El cura desenrolla el estrujón de su profecía. Ábranse, le grita al pueblo. Es el tanque, piensan los muchachos. El peluquero se lleva a don Antonio del brazo. Vámonos, jodido. Don Antonio siempre lento, nacido para caracol. El cura es exacto: estoy hecho para este tiempo. Nada de voladas metafísicas ni amémonos al que nos mata, ni la mejilla de mierda. Rápido, felino, atranca el portón.

En efecto, el tanque, piensa el capitán.

En efecto, abracadabras. En cada una de estas casas en este instante la vibración de mi bestia en sus pies hasta aturdirlos. El tanque mágico. La locomotora del carajo que los dispersa y los confunde. Pero en la calle se anudan, unos con otros se alientan. Se quedan en borrones espesos merodeando la muerte. Es la EEBI, carajo, piensan. Huelen, olfatean. Aquí vienen soldados de verdad, no marihuaneros ni borrachos.

El padre. El padre con los brazos abiertos en los peldaños. Mi amigo el santo curita que Dios lo bendiga jugando a Pedro pescador, a Roque pirata, a José carpintero.

Mi amigo el cura hecho una cruz con su cuerpo en la puerta de la iglesia, y la gente que viene y que sale, que entra y se mete. Como un corazón. Bombea y agarra.

Miró a Agustín cubierto con los audífonos. Los usa de capuchón. El micrófono en la boca igual que un antifaz. La antena del jeep echándole sombra sobre un ojo. Hundido en el asiento, culo de fierro como si quisiera disolverse en el polvo que levanta el tanque.

—¿Qué te pasa? —le preguntó.

Agustín sólo pudo percibir el movimiento de los labios de Flores. Con la mano izquierda se destapó una oreja.

—¿Capitán?

—Nada —dijo.

Descendió del jeep. Husmeó el aire y leyó en voz alta el cartel del campanario. Curioso ejército el sandinista, se dijo, combinan las palabras con las balas.

—Agustín, jodido, llamá al zopilote y preguntá al Chigüin si sigo las órdenes como las dio o si hay cambio.

El cura con los brazos abiertos frente a la iglesia. Hoy todo el mundo juega a ser mártir. Buscan convencer con gestos operáticos. Cuando el país esté hirviendo de comunistas ahí van a salir los curitas otra vez a hacer el payaso a la calle.

Antonio quiso volver a la plaza. La María Molina dijo: el cura estaba llorando. Don Chepe dijo: hay algo en el aire. *Es una guerra de mierda*, pensó Flores.

—¿Tenés respuesta?

—Sí, capitán —dijo Agustín.

—Yo mismo lo tomo.

Agustín le pasó los audífonos y Flores secó con la manga del uniforme el metal del puente curvo entre las orejeras. El muchacho se sintió desnudo. Acaso Myriam. Tal vez Ignacio. ¿Y si el viejo? ¿Y si la Vicky también? En el camino vio a don Chepe. Una vez le llevó al capitán para que lo pelara, pero Flores había vuelto sonriendo, la champa del mismo largo.

El Chigüin escueto:

«¡Flores, entrás volando pija, te digo!»

—Está el cura baboseando en la puerta.

«¡Dale un vergazo tamaño! Es la guerra, Flores jodido, no la Academia.»

—Cambio —dijo el capitán y le entregó el equipo a Agustín. Fue hasta el tanque. Se impuso a pocos metros de él, y con el índice en alto condujo el cañón hasta precisar el labrado portón de la iglesia.

—¡Padre! —gritó.

El cura trajo las manos hasta el pecho y las cruzó ritualmente. «Pueblo únete», comenzaron a gritar los jóvenes en el campanario. Agustín oyó el griterío atenuado por el zumbido de la línea directa al puesto de Somoza. Don Chepe puso a hervir la tetera en el anafe eléctrico de la peluquería y le pasó una vieja revista a don Antonio.

Flores dispuso a la tropa enfrentando el templo y señaló el campanario.

—¡Báñenlos!

Los soldados se dilataron un segundo, y con el mismo movimiento, marcados por un metrónomo, buscaron al capitán para aquilatar la diferencia entre la orden y la amenaza.

—¡Fuego, cabrones! —gritó.

La ráfaga se fue persiguiendo a sí misma en el eco y los proyectiles rebotaron en las campanas. Cuando el capitán cortó seco la artillería con un grito de «basta», otro grito partido en el aire se derramó sobre el pueblo desde la torre del Calvario, dio vuelta los barrios preñado de dolor, espeso. Una garganta llena de sangre y asma.

—¡Capitán! —gritó el cura, fundido al maderaje del templo—. ¡Están desarmados!

Sobre el aullido del muchacho agonizante en el campanario surgió la voz ronca del jefe del grupo. Luego el torso desnudo y la camisa blanca atada a un caño de escoba.

—¡Nos rendimos! —gritó.

Flores tuvo en el vientre el sabor de lo decisivo. Se dejó nutrir, avasallar por la quemazón que le venía a la cabeza. Corrió hasta el cura, le encañonó la sien con el revólver de reglamento, y amansándolo con la mano férrea en la nuca lo bajó de la escalinata hasta ubicarlo junto al tanque. Sólo entonces señaló el portón de la iglesia.

—Lo siento, padre —le dijo al oído—. Usted y yo somos católicos y uno de los dos se equivoca. Pero que eso lo decida Dios y no usted.

El impacto astilló el portón, penetró en la nave del templo, y fue descascarando los relieves del frontis y las pinturas del techo. Los vidrios aún sueltos reventaron y la vibración quedó en el aire por algunos segundos. El cura inició un gesto de súplica. Creyó entender por primera vez lo que significaba arrodillarse para implorar, un gesto que le venía no de la conciencia ni de la fe sino desde una entraña que hasta entonces no conocía, y las rodillas se flectaron, mendigas, avasalladas, y sus manos quisieron coger los muslos del capitán, pero éste las esquivó y encabezando la tropa fue hasta el templo para ingresar con sus soldados por la escalera de caracol hasta el campanario. De pronto el grito agonizante calló. La voz de Flores había coronado obesa la torre. Hasta la peluquería de don Chepe llegó la orden.

—¡Manos en la nuca, cabrones!

La nueva ráfaga se anudó al mandato como una estampida. El cura observó la plaza desierta y quiso tener el poder de morir. Solo en el cemento, oyó el dolor de la gente detrás de cada puerta, sin que sonara siquiera la respiración de un niño. Cuando el lienzo cayó desde el tejado hasta el atrio, vio que dentro del vehículo estaba Agustín. Sintió su guayabera impregnada de pólvora. Avanzó llorando hasta él. Cuando vio que Agustín se alzaba en el jeep con el transmisor de radio temblando en el pecho, se detuvo y miró hacia el zócalo siguiendo el rumbo de la mirada del muchacho.

Los reclutas arrastraron los cadáveres por los peldaños sin darse vuelta a ver qué cargaban. Una mezcla de terror y esfuerzo, las camisas chamuscadas por los impactos, las manos alborotadas de sangre, el fresco aliento del estupor en la última mirada. Flores fue el último en aparecer. El arriero. Diestro, preciso, se ubicó delante del lienzo con la decisión que da haber pasado un límite. Supo que si ahora quisiera pensar, su cabeza tendría la obstinación de una piedra. Estaba hecho de acción. De acción *hecha*. De voluntad cumplida, Chigüin. El rostro de los reclutas esquivando los cadáveres lo arrebató de nuevo coraje.

—¡Envuélvanlos en el lienzo!

Si no los ven, no les duelen, pensó, y se dio rápido vuelta hacia el jeep.

—¡Agustín Menor! —dijo—. Comunicate con el Chigüin y le decís que la operación está okey.

El joven sintió que las partes de su cuerpo no calzaban. Que la espontánea desobediencia a las órdenes del capitán era algo más indefinible que un acto de la conciencia, de la rebeldía, la furia o el miedo. Que el cura sollozando junto al neumático de su jeep había perdido la vida orando a un Dios que no existía, que ciertamente, comprobadamente ahora, no podía existir. Que los reclutas envolviendo cadáveres en el lienzo no podían ser los mismos con quienes se había duchado esa misma mañana mientras el sargento Cifuentes les daba de patadas en el culo. Que el desayuno con la leche caliente y el café volteador como cognac pudo haber sido un sueño, pese a su hosca presencia aún en el paladar. Que debió haber huido a las montañas el día que Cifuentes los había sumergido en el agua, casi ahogándolos, mientras les gritaba «siempre se puede aguantar un poco más, cabrones, aguanten con el hocico lleno de barro, que si algún día los agarran los guerrilleros tendrán que comerse su propia mierda». Sintió que su cuerpo era un punto, una vibración de un espacio indiferenciado, de un mundo sin puntos cardinales, sin tacto ni olfato. Si no hubiera sido porque ahora esa vibración dolía como llaga, lo mismo le hubiese valido ser una piedra.

Miró al padre rezando sobre el neumático, las mejillas llenas de polvo, grasa, lágrimas, pólvora, la frente bruscamente envejecida como la de un moribundo, y desprendiéndose del transmisor, saltó del jeep. Vigiló que el capitán no lo espiase, y echó a correr por la plazoleta que se le hizo infinita al sentir el caño de los rifles de sus camaradas buscándole la espalda.

Mátenme, cabrones, pensó.

Pero cuando las primeras balas torpes y aisladas sonaron, ya había alcanzado la esquina, y a medida que ganaba cada metro de la calle, recuperó una liviandad que no sentía desde su niñez, cuando don Antonio lo soltó por primera vez pedaleando su bicicleta.

22

La mano que pasa y agarra toma la otra mano.

El otro brazo agarra con fuerza atenaza.

La manguera trepida y taladra quiebra el adobe atropella el cemento la garra rápida.

Brusca la manguera se filtra y mientras raja dormitorios y fractura comedores, los muchachos conquistan ciudades que se les entregan, jóvenes enamoradas.

La mano se hace mano y la mano mano que avanza y pasa. Los muchachos caen de la montaña, surcan lagos nadie se oculta y la victoria está que arde. Los que van a morir también conocen las vísperas.

Sublime Salinas atalaya en la esquina. Las balas abundan como las flores en primavera y el acné en las mejillas de esos niños que avanzan con Fal y pistolas hasta las inmediaciones del cuartel y esperan la orden alertas. Aguardan el fuego minucioso que va apretado en la manguera. Sangre en la arteria, trocha, hende las tablas. Una proa, compa, se alegra Plutarco. La María Molina rompe su armario de cristal para abreviar el camino. La Guardia pide refuerzos en el Comando y el capitán Flores grita por los barrios *Agustín Menor* entre sus bigotes ásperos y vez que grita bala le dialoga, y los soldados ametrallan en carrousel, ciegos de pólvora, León jodido, patria y muerte así-no-más-que-así-no-más que no eran palabras no más. Otra palabra espera. La respiración de Plutarco es dueña de esa señal. Entretanto el salvoconducto es la manguera que descoyunta muros, alborea con orificios cómicos la intimidad de los vecinos, un muchacho toma la muñeca de ella, la pulsa sedoso, desde allí desliza la lengua por el brazo deliciosamente salino, ¿quién sos vos?, pregunta riéndose, contestame o agrando el boquete. Cada tramo la tentación de la llamarada. La huella. La avenida abriéndose. Veloz aunque galantee. Será la guerra, mi amor, pero antes que nada estamos en Nicaragua. Agarre vecino, dice don Chepe, sus falanges en travesía de descascar muros en vez de mechas juveniles. Y *vecino*, carajo, suena tan distinto hoy día. Abunda y levita. Oiga compadre yo soy tifón. Y yo te abro más que terremoto. La empuñadura firme y la punta clava. Busca al enemigo. Va a abrirle de un picotazo el cuello incendiado. Un licor de saltimbanquis. El riesgo hace mearse pero es también una fiesta.

La mano que se queda atrás se va con la mano que avanza. Aguarda y recoje lo sembrado. El oído en la pared. ¿Cuántos metros más? ¿Cuántos se habrán ido? ¿Son buenos los cálculos de Plutarco?, duda don Chepe. Una cosa son los planos pendejos donde África no es más largo que una ardilla colorinche, y otra la cochina realidad donde todo se estira, enreda y donde casi nunca se alcanza a llegar donde se quiere.

Valió la pena apañar con la viudez, comienza el monólogo de la mujer más vieja del pueblo.

Algo hay en el ambiente, dice el doctor Rivas revisando el expediente de Vicky a dos kilómetros de la manguera que todo hila y enreda, tramoyea y amarra. Ante el señor que todo ata y desata en fe de promesa tiéndeme la pata, susurra Myriam a Antonio, y éste disfruta el grosor de la lona elástica en sus palmas y camina hasta el otro muro transportando un transatlántico, la primera mordida de la fiera que fue levantando la imaginación del proyectorista —y Vicky que le había dicho llévale tu plan a Hollywood, te ha hecho mal ver tanto cine— azuzado por los chuchos líricos del bombero. Complot en la caseta del cine, y en el billar complot. En la panadería, en la casa de putas y donde el fotógrafo Ebenor. Ensalada de complot, plato de fondo: complot. ¿Se sirve un postre, vecino?

Don Antonio espera que el taladro prospere. El rumor adelanta a la manguera. Han llegado a decirle que Flores anda trajinando el jeep por el pueblo y escupe en cada esquina *Agustín Menor*, allanando casas, destripando con sus metralletas los cerdos, descalabrando puercos canarios y gallinas, lo que se ponga por delante *Agustín Menor perro desertor y juedeputa*. A don Antonio lo que le dicen y le mentan, vecino, no le va ni le viene. Por ahí anda el chico y qué puede hacerle uno si así lo quiso Dios. Ahora sólo quiere deshacerse de la viscosa lona hacia la casa lateral, comerse esos metros hasta el cuartel. Que grite y que chille. Él ni se agravia ni se ofende. No se amosca ni se irrita. Más rápida que la manguera corre la voz entre el pueblo que Agustín Menor ha desertado. Dicen que Marcelo desertó. De verlo a él nadie lo ha visto, pero a Agustín sí que lo miraron los pies torbellinos rajando del Calvario. Uno dice que vio al mismo Flores buscarle con un balazo la espalda. Y el abogado Rivas lo vio correr desnudándose en la calle, se sacaba el uniforme arrancándose el pellejo; *otro menos* se dijo melancólico.

La manguera por las casas. Natural. Un río en su valle. Pero para Plutarco nada fluye demasiado veloz. Ronco e impaciente manda a preguntar a la cadena de voces, si ya suelta la bencina. Quiere que el potro patee las barreras de corral, destruya a coces la piel que lo contiene. El garaje lo abruma. El olor de la bencina le parece perceptible hasta en Managua. Adelante no hay respuesta. Quién sabe por dónde picotea ahora mi pájaro. Y a cada rato se asoma Salinas y pregunta cuándo. Plutarco sólo sabe decir que lo que a él le consta es que los metros se van desenrollando, que todo tendrá en algún momento su final, como la vida misma sin ir más lejos que está hecha para acabarse, los trenes para que se oxiden y los barcos para que naufraguen. Habrá un instante, dice, metiéndose un dedo en la nariz, en que la voz de mando llegará de vuelta, la mano apretará otra vez la mano, y la lengua dirá buena suerte. «Lengua de fuego», describía el periodista local, el horizonte ese día del incendio del aserradero. Buena muerte, Salinas, ave agorera. Se ríe con los dientes espaciados para no mearse. Ya van a decir, ahora, ya. Y entonces, voltearé muy suave la palanca, como si manejase un Chevrolet último modelo, y después con todas las ganas hechas hasta de la porosa materia de sus sueños, haré estallar la presión para que el chorro fluya con alcurnia, que los vecinos sientan que llevan un tizón entre los dedos, el cetro del rey entre pieza y pieza, un chorro estival y punzante, fluvial, catarata, trompo de oro. Intrigante, la bencina untará cada milímetro del Comando. Habrá un momento, don Antonio, en que hasta el cielo será una llamarada. El Comando de tigre a payaso pobre. Usted no tendrá tiempo, don Chepe, para decir parece un sueño. Los muchachos entonces se filtrarán desde las cornisas, se desenterrarán de hoyos imposibles con las manos colmadas de pistolas, metralletas, bazookas, Puntos 30.

Pero la orden no llega de vuelta. La mierdosa paz del suspenso.

Si a otros le corre, a Salinas también se le atranca. ¿Qué echaste a correr, Pluta? ¿Un gusano? ¿Una tortuga fría que por cada paso recula dos? ¿Te querés lucir con un cangrejo invertido? En la puerta del garaje agrega: ¿qué carajo pasa que no pasa nada? Dale ya. Soltá la candela. Y Plutarco que está hecho de pura ansia, tiene que decir la palabra que no le conviene a su boca, las dos sílabas que lo deprimen. Cal-ma.

Y Salinas en cada motor que arranca oye el jeep de Flores, el tanque de Flores. Difícil que no se entere, que ya no lo sepa, pues. Un complot de más de dos en este pueblo es más pegajoso que el estribillo de una canción de moda, esa moto que viene es, por el santísimo carajo, el tanque de Flores, ese pájaro que trina es su jeep, el ojo inmenso del zopilote que parpadea en todo el cielo acecha sólo este cabrón garaje. Nos harán volar antes de tiempo. La manguera babosa que se atranca y dilata en las caderas de los conjurados. ¡Qué se la quedan manoseando ahí, hombre! Flores nos parte con una bomba. No será el Comando en llamas sino el pellejo de todos los juedeputas que nos metimos en este lío, por babosos. Patria o muerte sí pero por favor más rápido compañeros que los parlantes de Flores gritan por el pueblo *Agustín Menor juedeputa y comunista*, chupa cerveza entre los proyectiles, escupe una saliva bronca, perfora con ráfagas tupidas el adobe de los ranchos, astilla los techos, vuela las tejas, *salíte juedeputa*, grita Flores, y la fláccida lona que debiera ser celaje vórtice remolino se enreda, se entretiene en cada casa. ¡Creen los cabrones que es serpentina para el cumpleaños! Plutarco con las cutículas sangrantes cree que oye la orden, ya vamos, pero en verdad no la oye. ¿Qué tarda? La culebra perdida doscientos metros más adelante. La habrán sacado a pasear al jardín. Estarán fotografiándose con ella. Plutarco, puta mala suerte. Tanto haber soñado ese festival de candela que terminara con el reducto inexpugnable de Somoza en León, para rifarlo entre vecinos adictos a malabares de rey de corazones y ases de espadas, indisciplinados gorriones buenos para trinar, pero carentes del canino del chacal, de la disciplina prusiana. ¡Qué Prusia, compadre, estamos del calor pa'l carajo! ¿Y si un día nevase en Nicaragua, Salinas? En un cuento no más, cabrón.

Quién sabe, Sali. Si cae Somoza va a pasar quién sabe qué cosa rara. Hermano Plutarco, si se metiera un termómetro por el culo creo que lo reventaría.

Añicos, lo que se llama añicos la cañería de la casa de Antonio Menor. Más hacha que manguera. Golpe sin brújula, pueblo sin navegantes. Sólo paseo en botes por el lago enamorando pollitas. La madre de Agustín trae un balde, Antonio estropajos. Hay que correr la tina de baño porque esto se inunda, hombre. Y ya llega al mismo tiempo la voz del capitán en su acera, le trepa las murallas esa lagartija, el portavoz chirría y triplica el ruido de los proyectiles, Flores, vieja, Flores. *Agustín Menor, cabrón y desertor, juedeputa y sandinista.* Viene para acá, dice ella. Viene para acá, repite. Viene, dice el padre. Lo anda buscando. Y ahora. Callarse. Esta vez trae más balazos que palabras. Es Flores, dice Plutarco a doscientos veinte metros. Antes que la serpiente llegue al Comando tendremos así unos agujeros en las cabezas. San Paredón, Sali. Se nos meterán por las cuencas de los ojos unos gusanos más grandes que la manguera babosa. Apuren, cabrones, grita. Corran el dragón que vomita fuego, galopen el caballo de Troya —dijo la mujer más vieja del pueblo— y don Antonio oye el traqueteo de los jeeps sobre el empedrado disparejo, el parlante un pecho asmático: *salíte juedeputa.* Van a entrar, dice Amalia. Plutarco y su plan, sonríe final Antonio. Un loco. La serpiente que tentó Adán su sueño de la manguera. Acordes fúnebres en vez de marcha triunfal. Qué hacemos pregunta el señor Ramírez: ¿a quién? A doscientos veinte metros —según sus cálculos— Antonio Menor lo oye: se pone el sombrerito de lona como un guerrero su casco, no besa a su mujer y deja que el agua chorree del baño al dormitorio, no mira los retratos de Vicky y Tin con cara de ángeles la primera comunión, y surge al triste sol del umbral.

Ahí está el capitán Flores. Su misma quijada, el lento habano que traslada con ironía de un extremo al otro del labio, la pupila picante que atraviesa los lentes oscuros, más locuaz que la ametralladora que lo apunta desde el jeep. Y cuando se rasca el pecho, le naufraga entre el sudor la cruz de oro:

—Tu hijo se pasó a los sandinistas, cabrón.

Antonio asiente. Una súbita lentitud, un desmayo lentísimo, el umbral de un sueño le desordena el juicio. Esto es lo que precede a la bala, piensa.

Pero levanta el rostro sorprendido, cuando el capitán se le echa encima, lo agarra de la nuca, y lo va empujando hacia el auto.

—Te venís de rehén, cabrón, hasta que tu hijo aparezca.

23

Julio.

Tiene nombre de compañero el mes.

El auto atraviesa la noche. La carretera silenciosa. La Vía Láctea.

Arriba el ruido de un avión. Está nublado. Llevamos las armas con desfachatez.

Entre el lago y el Pacífico esta franja. Mirada en el mapa, Nicaragua parece Latinoamérica. Y esta línea camino a León me recuerda Chile. Latinoamérica. Zelaya es Brasil, Managua es Bolivia, Chinandega Perú, Nueva Segovia Colombia, Jinotega Venezuela. ¿Y Ecuador?

Vuelvo a casa.

Rara esta calma inmensa.

El auto trepida, pero todo está en su lugar. Como en los patios de la infancia. Me acuerdo de la casucha del perro, los nidos de los pájaros. Las hormigas que subían y bajaban el árbol reconociéndose cada una. Una a una, tantas.

León.

Esta calma donde cabe el cielo. Ni una estrella. El cielo y la carretera perdidos en una sola nube que me parece infinita. Somoza no ha caído y sin embargo vamos tan tranquilos fumando. La muerte no se anuncia. A ella no se le pide hora como a un médico. Las cosas no hablan. Todo el secreto del universo es el silencio. Nada habla. Sólo nosotros andamos a patadas con las palabras.

Yo, poeta.

Yo, en León.

Toda Nicaragua liberada y el dictador no cae. ¿Qué pasa? ¿Cómo se deciden las cosas en la historia? Dejamos atrás los volcanes y ahora el paisaje canta callado. Sólo los hombres hablando. Decimos discursos, gritamos cosas fuerte, cosas despacio. Todo el resto calla.

¿Por qué es tan nueva esta tensión entre el humo de los cigarrillos que se va por las ventanas del auto y las siluetas de los postes?

Siento que no vivo en el presente, sino en un presagio. Le digo al Guatón Osorio que prenda la radio.

Me pregunta con su tonada sureña:

¿Para qué querís oír la radio, ueón?

El presagio, digo. Tengo la intuición de que se fue Somoza.

Tai ueón, me dice. No ha caío.

¿Cómo lo sabés le digo?

Si hubiera caído se sabría.

¿Cómo?

No sé, pu ueón. El auto estaría volando, el cielo estaría ardiendo, se pondrían a cantar los pájaros. Cualquier cosa rara.

Poné la radio, le digo.

Osorio obedece. Su Garand reposa en su estómago abundante. El viento le endurece el sudor en la frente. Aprieta el botón de la High Fidelity del Pontiac y lo primero que suena es la voz de un cantante americano. ¿Dean Martin? ¿Sinatra? ¿Quién cantaba *Money burns a hole in my pocket*?

Dean Martin, dice el Gordo. Y le sube el volumen y silba la canción con Dean, le sigue las huellas a las estrofas como si hubiera ensayado toda su vida para este momento perfecto en que la carretera es una nube. Ese tema se lo oí a mi viejo. Y a mi vieja. A los dos, antes que se fueran de este país de la gran puta y me dejaran solo atragantado con el Código Romano.

Feliz viaje, viejos. Yo seré poeta.

Todos los pájaros callados. Un festival de pájaros en silencio. El Pontiac muelle absorbe la noche. Ni siquiera una estrella. Vamos metidos en esta soledad como si la ruta fuese hecha sólo para nosotros. El asfalto una alfombra triunfal para el poeta Leonel, para el Gordo Osorio.

Hasta ayer la cintura en los charcos, abriendo camino a machetes, durmiendo en el techo de las casas mientras un gato te observaba y luego se lamía lentamente la cola y los reflectores de la Guardia echándote la zarpa. Hoy avanzamos en autos, la bandera sandinista flamea de la antena, y en el High Fidelity canta Dean Martin.

Tomada así en pequeño, puede ser rara la revolución.

Extraña también la pausa de la emisora detrás de cada tema. Como si los animadores hicieran las valijas en el estudio y no alcanzaran a volver para presentar otra canción.

Osorio me mira. ¿Cómo un tipo tan gordo puede tener esa mirada tan intensa? Lleva el pelo alborotado por el viento. Ninguno de nosotros cree en una emboscada. La Guardia huyó a Honduras, se ha metido en los aviones americanos o está refugiada en los bunkers y comandos. ¿Esperan qué? ¿Los marines? ¿Condiciones para la rendición? ¿Refuerzos prometidos? Somoza dijo que gobernaría hasta el 81 y aquí vamos en esta carretera intransitable, tan nuestra. Nuestras mismas piernas. Osorio me mira largamente y me sonríe. Yo le sonrío de vuelta.

Tenías razón, me dice. Señala con un guiño del ojo el High Fidelity. Se calló la cabrona.

Oímos el silencio. ¿Los muchachos entrando a la radioemisora y tomando posesión de sus micrófonos, sus estudios, sus antenas? Pasan dos, tres kilómetros y de pronto suave, un beso de despedida, entra Tito Rodríguez cantando *Quién diría*.

¿Quién diría que aquella niña hoy es toda una mujer y que la quiero en otra forma de querer? Miren qué cosas, quién lo diría.

Ya no hay locutores.

Sólo el técnico que clava la precisa aguja en el surco y ninguna palabra. Nadie aúlla con tono de noticiario de cine que el gobierno aplastará la insurrección de los traidores. Sólo el técnico en la caseta acolchada hurgando entre sus discos favoritos. Quizás después de Tito, un Manzanero. Y después de Manzanero, tal vez ya sea la hora de don Carlos Mejía Godoy y los de la Palacagüina. Tenés razón, Gordo. Si ahora desde Managua la radio transmitiera *Flor de Pino*, este auto levitaría hasta estrellarse con los aerolitos y los cometas, nos iríamos tan verticales para arriba como un jet. Sabríamos en medio de este camino corcovado a bazookazos y rajado a terremotos que Managua ha caído. ¡Ha caído para arriba!

¿Qué vas a hacer?, le pregunto al Gordo.

Me estudia con el cuello doblado, reclinándose en el viento.

Después del triunfo, le aclaro.

La sonrisa le abre la hilera de dientes desde donde saltan sus caninos alegres. Parece que tuviera la boca llena de fuegos artificiales.

Ya triunfamos, dijo.

¿Qué vas a hacer? ¿Volvés a Chile?

¡Hombre!

¿Algo de gimnasia? ¿Con un poco de bigote? ¿Un pequeño retoque al pasaporte?

El Gordo mantiene la sonrisa encendida. Los focos del auto rastrean la huella. De pronto el chofer aprieta el botón de la radio y la desconecta. Lejos, pero inconfundible, está la balacera.

León, dice.

Comprobamos que tenemos las armas sobre las rodillas.

León, pienso.

24

Las balas fueron cargando a la Guardia hacia el Comando, como los perros enrielan a las ovejas. Ignacio dio la orden y de cada puerta, techo, balcón, mansarda, zaguán, garaje, salieron las pistolas y los rifles fisgones, caóticos o minuciosos en la madrugada. Ignacio dijo sí cuando Osorio llegó del sur, cuando el tío Emilio precisó la manguera con su ojo absorto en el muro, cuando Myriam abandonó el botiquín de primeros auxilios y agarró el Fal de la cabina del proyectorista diciendo no sirvo para estas pendejadas de la Cruz Roja, cuando Plutarco llamó por teléfono a la compañía de bomberos y exigió a su asistente que hiciera sonar la sirena, cuando el cura contactó los parlantes de la catedral al órgano y dejó que sus dedos tejieran obsesivos compases elementales, cuando los refuerzos de la Guardia no podrían caer del cielo, porque ya era Honduras y Miami el rumbo de las atolondradas golondrinas, cuando los zopilotes daban vuelta alrededor de la Paz Centro, heridos a bazookazos, cuando el sargento Cifuentes planchaba con las palmas el palmbeach crema de civil y sacudía el polvo de sus hombreras y perfilaba con la uña la raya del pantalón y descuartizaba la pata del armario donde ocultaba el dinero y descosía los jalones del uniforme calentándolos bajo el calzoncillo, cuando radio *Venceremos* de León anunció que Anastasio Somoza había tomado el avión a Miami llevándose el ataúd de su padre en el equipaje, cuando a Flores y su tropa no le quedaba otro universo que el entramado de cemento y maderaje del Comando, cuando todo el resto del país trinaba Sandino, cuando de cada ventana salía una bandera negra y roja de papel, lienzo o cartulina, cuando Ernesto Cardenal venía volando a Nicaragua y una gran luz a la derecha lo sobresaltaba y no era un jet contra el aeroplano, sino la media luna serenísima que salía iluminada por el sol.

Pero cuando la orden de Ignacio llegó al garaje, la mano de Plutarco vaciló en bajar la palanca. El rumor había llegado más rápido que la orden: Flores tiene rehenes. La madre de Agustín alcanzó el garaje por el interior de las casas, trepando patios, esquivando balas, y le dijo a Salinas, y le dijo a Plutarco: agarraron también a mi viejo.

Tienen rehenes, fueron llegando los susurros por los socavones de los muros, por las cañerías perforadas. Flores los fue picoteando al azar por las calles. En un segundo había descubierto la magia de la técnica: tomaba a un poblador entre sus brazos y el fuego desde los techos cesaba consternado.

Salinas y Plutarco se miraron. El bombero había vomitado dos veces y seguía tomando ese café que llegaba desde el orificio vecino, espeso como barro y atiborrado de azúcar. Y ahora sonaba el órgano del cura y cada nota ya debiera ser una llamarada en el frontis del Comando, Plutarco mismo había ordenado el ronroneo circular de la sirena para que los compas abandonaran el ataque al Fortín del cerro y concentraran su fuerza en la ciudad. Por una vez todo había funcionado perfecto como su minuciosa caligrafía y en el momento decisivo —en el momento decisivo que ya había pasado, que estaba a punto de pasar— no podía bajar la palanca del carromato rojo que sembraría la ciudad de la candela definitiva. Se quedaría con el aroma del triunfo sin masticar la fruta. Los muchachos sandinistas atacarían el fuerte por las calles al ver que no llegaba el incendio y la calle se llenaría inútilmente de su sangre. Ignacio lo enfrentaría en un momento y le diría traidor. Los dos se miraban en un silencio estéril. Salinas pensó, pero no pronunció las palabras: es la madre de Vicky.

El recorrido de la manguera fue reculando con las voces: tomaron a María Molina. Rehén. Agarraron a Calixto García. Rehén. La Moncha, rehén.

Dicen que don Chepe.

Flores se los fue arriando. Encontró el talismán con don Antonio. Después no tuvo más que ir aplicando la fórmula. Abracadabras. Había entrado con sus mops, jeeps y tanquetas al Comando. Desde allí estaría telefoneando al Chigüin. Pesquisando con radar las huellas del Chigüin en algún lugar del cielo nicaragüense. Entrá volando verga, le había pedido el Chigüin. Ahora le faltaría Agustín para que emitiese telegramas. Los largavistas, por muy potentes que fueran, no acercarían los refuerzos. Ni aunque los frotara como lámpara mágica.

Plutarco soltó el mando de la palanca y se abrazó a sí mismo. Se envolvió con sus dos brazos. Cada nervio de su cuerpo parecía estar pensando. Cada gota de su sangre le pareció alerta, conflictiva. El escalofrío lo sentía en las raíces de sus pelos.

Salinas le dijo:

—Es una orden.

Ovillado, repuso:

—Yo no soy soldado.

Ahora ya no eran susurros filtrados por los muros. Desde la calle llegaban los gritos con nombres y apellidos: ¡Plutarco, hay rehenes! ¡Don Chepe, rehén! ¡Don Antonio, rehén! ¡La Moncha! ¡La Familia Ebenor! ¡Saida Mendiata, rehén!

—Entonces yo suelto el chorro —dijo Salinas.

La sirena de incendios había dejado de sonar y ahora el viento llenaba los tubos del órgano en un acorde que bajaba desde la columna hasta las rodillas, como si ese aire sordo reemplazara la circulación en las venas.

Plutarco respiró hondo y dijo:

—Hacélo.

La vibración del líquido apisonado estremeció las muñecas de los vecinos. No hubo tiempo para comentarios. La fláccida lona de la manguera se abultó con el coletazo brioso de un potrillo, y en los pulsos infartantes descargó la bencina su traqueteo de avalancha, su aroma de volcán que va a entrar en erupción. Las manos trepidantes se sintieron fundidas a esa sangre que ardería en minutos, acaso en segundos. Los vecinos sintieron su cuerpo crecer mágicamente, la acción los dotaba de más nervios, de otros huesos, de otra tensión a los músculos, de una fuerza que ninguno tenía, humillado en su habitación esperando que viniera la Guardia Nacional a allanarles los papeles, las persianas, las tetas de sus hijas, la vajilla donde en cada tenedor veían un fusil, en cada cuchillo mantequillero la bayoneta sandinista, en las migas de pan las balas, en el corral de gallinas magras, que de todos modos rapiñaban para sus caldos, la caballería sandinista que un día entraría lanza en ristre a los cuarteles degollando a los defensores de esa Nicaragua generosa, cristiana, occidental, amante de la libre empresa, de la noble Nicaragua de sostén pródigo, de la gran familia donde todos tienen derecho a vivir bajo el manto madre de la democracia, fiel a su padrino de arriba, poncho fraternal de América, quitasombras en el invierno, quitasol en el verano.

La bencina fluvial por el gran esófago del pueblo.

Las manos invadidas de estrellas. El espinazo de todos flexible, grácil, poderoso, como un látigo.

La mujer más vieja del pueblo no recordó tal solemnidad ni en las mejores misas de su vida. Ni en los funerales de su santo esposo Exequiel Ortega, que murió sin disparar jamás una bala, pero cuyas últimas palabras habían sido «cuando muera Somoza, buscá manera de avisarme», ni en el tumultuoso silencio en la catedral cuando un año antes el obispo oró *in memoriam* del periodista Joaquín Chamorro, asesinado por Somoza en Managua.

La mujer más vieja del pueblo vio atravesar el fuego por su dormitorio bebiendo lentos sorbos de *Earl Gray*, el único té decente que aún le llegaba en latas cuadradas *Twinings* anualmente de Inglaterra. Vio a los nicaragüenses pequeños, morenos, los rostros súbitamente elevados en una dignidad sólo comparable a las estampas de los santos en sus calendarios. La mujer más vieja del pueblo definió a los sesenta o setenta vecinos entre quienes corría la bencina final con el bufido de una locomotora, como un solo animal, un dios arrancado de la mitología maya o náhuatl, un dios plural que es al mismo tiempo nube y sol, arena y lluvia, planta y océano, vientre e inteligencia. La mujer más vieja del pueblo vio en la arisca bencina que trepidaba en garras de la fiera latinoamericana la arteria de un ángel apocalíptico. Pensó en medio del desvarío de jadeos, suspiros, instrucciones, repechajes y convulsiones que acaso la caída de Somoza no coincidiera con su propia muerte. Que ella lo sobreviviría. Tuvo alucinaciones. Le pareció que tenía ciento cincuenta años y que todo ese animal fragoroso lo paría ahora ella. Se calmó con una mala metáfora: era el hijo que jamás tuvo con Exequiel Ortega. Sorbió con minucia filosófica su té *Earl Gray*. Su fina muñeca ajada, pero precisa, sostuvo la oreja de la taza sin que temblase. En el espejo desazogado de la pared perforada por la manguera vio su propio rostro al margen, opuesto a la foto de Exequiel clavado en ese ángulo descascarado. «He durado más que las cosas», se dijo. «A lo mejor nunca más me muero y si Dios me da la salud necesaria acepto la inmortalidad sin quejas.» La mujer más vieja del pueblo reconoció en *su* pueblo, con alegría en el corazón, los detritos de su aristocracia inglesa que en plena adolescencia la había hecho vomitar en Panamá, al ver el color de la piel latinoamericana. Otro sorbo de té le hizo recordar que su padre le había cubierto la nariz con una camisa empapada de colonia *Atkinson* que llevaba tan amanuense en el bolsillo del vestón como su quarter de *Ballantine's*. Exequiel la había traído a León drogando a su asmático padre con un muestrario de telas sedosas y multicolores que le permitiría cimentar una tienda en Nicaragua, al estilo de Gath y Chaves de Chile o Les Gobelines parisinos. Su hija, que un día sería la mujer más vieja del pueblo, tendría herederos con suficientes libras como para fustigar las cajas de los hipódromos de Long Champs y Saint Cloud en París, los de césped en Londres, y tal cantidad de marcos que los secos croupiers de Baden-Baden se pondrían húmedos como cucarachas después de la lluvia cuando a la voz de *rien ne va plus* ellos extendieran par de miles a pleno. Fue al año que Darío escribió: «Midi, roi des étés, como cantaba el criollo / francés. Un mediodía / ardiente. La isla quema. Arde el escollo: / y el azul fuego envía. / Es la isla de Cardón, en Nicaragua. / Pienso en Grecia, en Morea o en Zacinto. / Pues al brillo del cielo y al cariño del agua / se alza enfrente una tropical Corinto.» Había leído el poema en un intermedio erótico en la ciudad de Rivas, mientras Exequiel trabajaba ruidosamente su siesta recuperándose de un viaje de bodas que tuvo entusiastas tramos iniciales —hoteles alfombrados, con ventiladores de más celaje que los utilizados por los súbditos de la reina en la India, y que a la altura de San José se rebajaron a las pensiones que con tristes colones frecuentaban vendedores ambulantes, profesores primarios, y tal vez algún colega del mismo Darío, menos proclamado y de pantalones infinitamente más toscos. El último vocablo de aquel poema constaba de la palabra «cigarra». La mujer más vieja del pueblo, que entonces poseía unos articulados senos duros del tamaño de un melocotón que se endurecían en cuanto el más leve lengüetazo de Exequiel untaba su pezón, había dejado caer el periódico con el texto del vate y se apresuraba a meditar sobre los contrastes entre lo descrito y su propia experiencia en las sábanas hechas de tela de harina de aquel hotel sureño, cuando un animal, tan grande cual repelente, se deslizó desde el lavatorio hasta la puerta, fatalmente hermética. Codeó a Exequiel aterrada, y éste, sabedor del amor por la lírica de quien un día sería la mujer más vieja del pueblo, le definió a la repugnante rata con la palabra más fina que encontró en su semivigilia: «Pero mi amor», le dijo, «si ésa es una golondrina». Hacia 1917 había adquirido fama como excelente profesora de inglés —«acento británico»— entre los comerciantes de León que le mandaban a sus hijas rubicundas o magras para adiestrarlas en el idioma del futuro en Nicaragua. En clases particulares infligidas por quien sería alguna vez la mujer más vieja del pueblo, aprovechaba para sonsacar intimidades de la vida del vecindario que luego divulgaba con discreto aplomo en la plaza y en los almacenes. Con semejante técnica y discreción, en 1978 usaba los velos de una pretendida senilidad ante la Guardia Somocista para pasar hasta en las casas más convulsivas las moscas y consignas de Sandino. «A una cosa tan linda como un mensaje revolucionario le llaman *mosca*», le dijo a Ignacio, «y a algo tan asqueroso como una rata le ponen *golondrina*. Nicaragua es más revuelta que Guatemala, en lo que a lenguaje se refiere». En 1936 entró a la tienda de géneros un tipo de anteojos gruesos, sonrisa larga como una navaja y pañuelo de chulo al cuello, quien señalando el lugar más luminoso de la pared le entregó a Exequiel y esposa el retrato del nuevo presidente legal de la República de Nicaragua. «Anastasio Somoza», dijo, presentándolo.

Cuando el hombre se marchó, Exequiel puso el retrato en el fondo de un mueble de lastimeras bisagras y le ordenó a su mujer: «Esto sólo lo colgás en caso de emergencia.» Y agregó, fumando esos habanos que le quitaron todo el aire hasta hacerlo morir de un sofoco hacia principios del 50: «Es el cabrón que mató a Sandino.» Quien en la década del 70 sería una de las mujeres más viejas de León, y el 79 la más vieja absolutamente tras el fallecimiento por bala loca de Matilde Iglesias, le había comentado entonces: «Pero si ese Sandino les gusta a los negros, a los indios y a los campesinos.» Exequiel la fichó con la mirada cual si accionase un cuchillo y le dijo, antes de calzarse el sombrero de Panamá para ir a echar una mano de naipes al club social: «Nicaragua.» Y en la puerta agregó: «Si querés más de lo que tanto te gusta, dejate de delicadezas y pendejadas.» El 21 de septiembre de

1956 dos muchachos pálidos, dos lirios, consumidos como velas, armados cual división en campaña, golpearon en la madrugada la puerta de su tienda y pidieron que los ocultase por un par de días. La Guardia Nacional andaba por León buscando jóvenes y adolescentes tras las pistas de unos locos que le habían disparado a Somoza en la Casa del Obrero. «Soy una pobre viuda», se excusó la futura mujer más vieja del pueblo. Pero simultáneamente, preñada por una inspiración, amplió la rendija de la puerta y los trajo hasta la bodega, donde entre telas apolilladas, metros de terciopelo desteñido, percal mordisqueado de golondrinas, les ofreció un té *Twinings* y escuchó con maravillado interés el relato de los jóvenes. Un colega poeta llamado Rigoberto López Pérez le había descargado el revólver al Tacho mientras la orquesta tocaba el mambo del *Caballo Negro*, dejándole en el pecho una perforación grande como una fosa. «Mortal cual una tumba», había dicho el otro.

La mujer más vieja del pueblo, que en esos años llevaba la viudez con un toque alegre en el maquillaje y cierto orgullo en los senos altaneros a punta de la lingual vitamina del difunto Exequiel, se llevó el pulgar doblado hasta los labios, lo besó y dijo: «Juro por éste que no los traicionaré.» Accionó el estante de quejumbrosas arterias, extrajo el retrato de Tacho, le adjuntó con cinta adhesiva un crespón que le colgó desde la sonrisa como un vómito negro, lo puso en el lugar donde hacía un lustro regía Exequiel Ortega, fundador de la tienda Mariposa, y cuando al día siguiente irrumpió la Guardia Nacional con sus fusiles compulsivos, se limitó a mirar con tristeza el retrato y sin demasiado trabajo —recordando los radioteatros después del almuerzo— dejó caer una lágrima espesa por su mejilla británica.

Ahora, en esa serpentina que confundía y entramaba al pueblo, sintió no sólo el sabor de la paradoja y el absurdo que era toda Latinoamérica donde los bomberos lanzaban llamas en vez de agua, sino la plácida carencia de sorpresa con que había seguido cada milímetro de la insurrección. Así como en los bailes de su juventud tampoco se había dado cuenta de que bajo los flecos de su vestido rosa de seda y su manantial de perlas, los pies se movían impúdicos al marcar el compás del charleston atrayendo la mirada sibilinamente azul de los estudiantes ingleses de Norwich, el ritmo de la rebeldía la había contagiado sin conciencia, casi sin propósito, hasta que el cura le dijo por el confesionario, una vez que fue a delatar un eventual adulterio contra Exequiel, concebido pero no ejecutado hacía décadas: «Usted ahora es la mujer más vieja del pueblo.» «Como piropo es una mierda», le susurró por la rejilla asfixiada del mediodía. «Pero como símbolo para la lucha contra la dictadura, es un hallazgo», insistió el cura, dejando largamente sus labios atracados al sensible muelle de sus lóbulos británicos.

—*I got it* —dijo.

Desde entonces había tramado bombas de mecate, cedido rollos de brin rojo y negro para hacer banderas, jirones y retazos de seda para enredarlos en los cuellos juveniles, algodón para apretar heridas. Su despacho había sido hospital, arsenal, madriguera, posada, relaciones públicas de los sandinistas con el clero, secretariado del clero para templar a los sandinistas. Pero ahora, viendo la manguera pender entre dos muros de su dormitorio como la cuerda floja del equilibrista suicida en la plaza central, sintiendo el hondo olor de la febril materia que goteaba sobre sus gobelinos, pudo percibir que su pulso, súbitamente afiebrado, derramaba a su vez algunas gotas de té sobre el platillo. Temblorosa llamó al hombre de pelo gris que intentaba domar el tránsito del combustible apretando la manguera contra el pecho, y le dijo: «No es el Parkinson. Es que por primera vez me da tanta risa.»

Cuando la mujer más vieja del pueblo dijo eso, Salinas alentó a Plutarco a avanzar hasta el medidor del estanque, y el bombero, con un gesto resignado, cerró la llave, y mirando con ojos suplicantes a la madre de Agustín, declaró:

—El estanque está vacío.

La señora Amalia le sostuvo la mirada y dijo:

—Estará de Dios.

Plutarco fue hacia ella, le tomó las dos manos y las trajo para que la mujer comprobara sobre su propia piel las lágrimas que, fundidas en la bencina y el sudor, le borroneaban las mejillas como a un escolar travieso.

—Es para que se acuerde toda la vida, señora Amalia, que lo que hago ahora lo hago llorando.

—No sea maricón, hombre —dijo ella.

Plutarco fue hasta el orificio, ese inaugural por el que pasó torpe, imposible, chiflado, arisco, burlado, trashumante, el túnel de lona que concretaría el plan pirómano educado en insomnes sesiones de observación, tanteo de eventuales disidentes del vecindario, interrogatorios de la policía, altanería y humillaciones ante suboficiales y ante el mismo Flores, sarcasmos e ironías de los sandinistas que, embriagados por el aroma del triunfo, eran capaces de dejarse matar asaltando una vez más desde la calle el Comando inexpugnable antes que probar el diseño del bombero Plutarco Ramírez, para servirlo señor, y sintiendo el peso de la mirada de doña Amalia en su duro cuello de mestizo, puso sin la unción ni el entusiasmo que tantas veces había soñado, los labios en el agujero e inauguró con su voz la cadena que en exactos ochenta segundos tendría el frontis del Comando hecho una hoguera.

25

Descabellado fuego, enérgico y lleno de ojos, deslenguado, tardío, repentino, estrella de oro, ladrón de leña, callado bandolero, cocedor de cebollas, célebre pícaro de las chispitas, perro rabioso de un millón de dientes, óyeme, centro de los hogares, rosal incorruptible, destructor de las vidas, celeste padre del pan y del horno, progenitor ilustre de ruedas y herraduras, polen de los metales, fundador del acero, óyeme, fuego. Arde tu nombre, da gusto decir fuego, es mejor que decir piedra o harina. Las palabras son muertas junto a tu rayo amarillo, junto a tu cola roja, junto a tus crines de luz amaranto, son frías las palabras. Se dice fuego, fuego, fuego, y se enciende algo en la boca: es tu fruta que quema, es tu laurel que arde. Pero sólo palabra no eres, aunque toda palabra si no tiene brasa se desprende y se cae del árbol del tiempo. Tú eres flor, vuelo, consumación, abrazo, inasible substancia, destrucción y violencia, sigilo, tempestuosa ala de muerte y vida, creación y ceniza, centella deslumbrante, espada llena de ojos, poderío, otoño, estío súbito, trueno seco de pólvora, derrumbe de los montes, río de humo, oscuridad, silencio. ¿Dónde estás, qué te hiciste? Sólo el polvo impalpable recuerda tus hogueras y en las manos la huella de flor o quemadura. Al fin te encuentro en mi papel vacío, y me obligo a cantarte, fuego, ahora frente a mí, tranquilo quédate mientras busco la lira en los rincones, o la cámara con relámpagos negros para fotografiarte. Al fin estás conmigo no para destruirme, ni para usarte en encender la pipa, sino para tocarte, alisarte la cabellera, todos tus hilos peligrosos, pulirte un poco, herirte, para que conmigo te atrevas, toro escarlata. Atrévete, quémame ahora, entra en mi canto, sube por mis venas, sal por mi boca. Ahora sabes que no puedes conmigo: yo te convierto en canto, yo te subo y te bajo, te aprisiono en mis sílabas, te encadeno, te pongo a silbar, a derramarte en trinos, como si fueras un canario enjaulado. No me vengas con tu famosa túnica de ave de los infiernos. Aquí estás condenado a vida y muerte. Si me callo te apagas. Si canto te derramas y me darás la luz que necesito. De todos mis amigos, de todos mis enemigos, eres el difícil. Todos te llevan amarrado, demonio de bolsillo, huracán escondido en cajas y decretos. Yo no. Yo te llevo a mi lado y te digo: es hora de que me muestres lo que sabes hacer. Ábrete, suéltate el pelo enmarañado, sube y quema las alturas del cielo. Muéstrame tu cuerpo verde y anaranjado, levanta tus banderas, arde encima del mundo o junto a mí, sereno como un pobre topacio, mírame y duerme. Sube las escaleras con tu pie numeroso. Acéchame, vive, para dejarte escrito, para que cantes con mis palabras a tu manera, ardiendo.

26

Perplejo, Flores levantó la mandíbula y no pudo atisbar en el aire el menor indicio de aeroplano o helicóptero. La Guardia había abandonado los puestos en las torres y en el centro del patio esperaban sus órdenes arrancándose las guerreras militares para confundirse con los rehenes. El cerco de llamas era perfecto. En cualquier momento los sandinistas podrían descolgarse de los techos, arañas por los cables, ardillas por los postes. Mareador el fuego. Flores teniente bailando con Marta, «cuidate, negro», la hendidura de sus senos. Azucena. Los Debayle padrinos de boda, los trajes blancos de los hombres hechos de espuma, los largos trajes de ellas livianos cometas. No había nacido Juan Pedro, ni la Alejandra, ni Pablo Andrés. Un país tan bello, ardiendo. El Chigüin tal vez viniera luego con tanquetas, con bazookazos. O quizá llegaran los bomberos. Y Tachito —compadre del alma, padrino— estaría en su bunker jugándoselas. Por cada proyectil que le disparasen volaría pija con bombas. La aviación bañando los pastizales cercanos. El Tacho no era de esos que dejarían amigos en la estacada. No es el Capitán Araya que embarca a los demás y se queda en la playa. El Tacho va a masticar Managua con su hilera de dientes perfectos, con la sonrisa de la tele y desde allí va a venir la contrainsurrección. Dijo que esto era a *finish*. Pues, perfecto. Aquí está su capitán Flores metido en este aro ígneo. Darío. Caen las vigas, lengüetazos verdes, los soldados esperan de mí la salida y yo sólo miro hacia el cielo. «Cuidate, negro.» Arde Nicaragua, un país tan lindo. Gajes del oficio, Chigüin. Un militar tiene huevos bajo los pantalones y no portaligas, encajes ni sotanas. Cortadas las comunicaciones. Agustín Menor sandinista malagradecido, malquisto. No hubo tiempo de cambiar la clave. Cada indio de mierda debe transmitir a la Paz Centro las instrucciones que se le dé la gana. Agustín arriba de un poste de telégrafo metiendo sus uñas para interceptar mis tanques, mis jeeps, mis muchachos frescos a cargo de Cifuentes con cantimploras, con barriles de agua, con tempestades, con naufragios, con esta sed, con esta impotencia. Agustín Menor juedeputa y traidor. Ya lo veo arriba del poste de telégrafo confundiendo órdenes, mezclando soldados del norte y del este como un niño con sus figuras de plomo mientras yo me tuesto en esta mierda. El agua sale hirviendo de las cañerías. De a gota. Cortaron los servicios públicos. El último estanque de reserva se lo tragó la tierra. Nerviosos estos cobardes. Sedientos de que yo los ilumine, que les dé la clave que los salve. Me dicen Vulcano —curioso— y fue con el fuego que me atraparon. Pero voy a vivir, Agustín juedeputa y traidor. Voy a vivir, Chigüin. Voy a salir de aquí con estos babosos y me iré tallando a balazos el camino hasta el bunker del Tacho en Managua. Si Allende que era comunista murió a lo que es vergazo, mi Tacho estará como león montado en su Punto 50. Managua debe estar llena de aviones leales, sincronización americana. Allá estará el Chigüin. Si estás allá, allá estás. Flores no te necesita, cabrón. Voy a salir de aquí con este puñado de perros y me voy a hacer una linda corona de rehenes.

Una coraza de rehenes, muchachos. Vamos a salir blindados en la carne de esas bestias. Si quieren matarnos, que atraviesen primero a sus padres, a sus hermanas, a sus abuelos.

Flores montó al jeep. Atrajo con un dedo al chofer. De pie sobre el asiento gritó:

—¡Vamos a salir! ¡Cada guardia se agarra un rehén y lo usa para cubrirse! ¡Se ponen todos alrededor del jeep!

Los guardias se derraman por el patio de tierra del Comando. El susto es más rápido que el pensamiento. Agarran a los rehenes esposados, maniatados. Les aferran el cuello con el brazo, encajan el ángulo del codo en sus carótidas, levantan con la derecha el rifle, el poder mágico de disuadir con su presencia, el pararrayos. Te quedás quieto, cabrón, o te volteo ya, le dicen al peluquero. Los otros se dejan tímidos o apocalípticos, desafiantes o esperanzados, temblando o decididos. Cada guardia agarra su rehén como un niño codicioso su bicicleta. Un perro, los restos. Jadeantes se forman alrededor del jeep. El tanque se instala detrás. Ya el traqueteo de su motor pone en alerta a los muchachos en la calle. Todo León es ahora un lago en llamas, y a través del portón del Comando que se abre, a Flores le parece ver flotar navíos de velámenes rojo y negros.

Sienta a Vicky en el jeep, a su lado izquierdo, le pasa el brazo por el hombro con el revólver crispado en las falanges, le pone la cacha del arma en la sien. Con la derecha envuelve el cuello de don Antonio y lo sujeta férreo al costado del vehículo. Le indica al chofer achinado que adelante. El jeep se mueve y con los primeros metros don Antonio trastabilla y el capitán le grita:

—Afirmate, pendejo, que vamos a galopar.

Los guardias forman a los rehenes aún sueltos. Una herradura, un parachoques: la florista y el panadero, la mujer del panadero y la estudiante, don Lucio y el saxofonista, los tres principales líderes sandinistas de Matagalpa con el esqueleto visible y la piel una llaga.

El grito de Myriam se remonta más alto y veloz que el primer proyectil.

—¡Traen rehenes!

—¡Traemos rehenes! —gritan los guardias tapujados en sus cuerpos. En la puerta del cuartel enmarcada en fuego, ahora nadie adelanta. Los presos esperan con sus rostros suplicantes acallar las balas, presienten los balazos que desde atrás les astillarán las vértebras si intentan la fuga, la nuca tumbada como una marioneta sin amo. Los proyectiles van desmayando largamente. En los techos los sandinistas se miran con los FAL ansiosos, el pulso ávido, piensan a gritos, los rostros ardientes sobre las tejas, si es un momento para dudas. A gritos retuercen las armas que piden telón, final, abismo para la Guardia, un sepulcro de zarza que arde. No hay detonaciones. Sólo vaivenes y descompases del fuego. Los rehenes vagos en el humo sin transparencia.

—¡Salen los rehenes! —grita la Guardia.

—¡Salen los rehenes! —ruge también Flores, levantándose en el jeep con el cuello de Vicky enredado en su brazo, la nuca de Antonio crispada por sus dedos.

Es Flores, piensan los muchachos. El gatillo les late, la respiración se les repliega en trance, suspensa como la de don Chepe en la puerta, la de los sindicalistas de Matagalpa. El proyectorista se acerca a Myriam con la levedad de una sombra que resbala sobre el muro.

—¿Qué hacemos?

Myriam cree adivinar los ojos de todos alertas a su orden de desatar las balas, como si fuera posible filtrar por los imprecisos pliegues del humo el tiro exacto para la Guardia, fruncir los caños de los rifles para desgranar las cabezas asesinas y rescatar la inimitable agudeza de la frente de don Chepe, el peluquero que tuvo tantas veces sus propias testas entre sus dedos ágiles, agenciándoles brillantina, perfume para las fiestas de los sábados, domando el mechón proletario para el matrimonio del domingo.

—¿Qué pensás vos?

El proyectorista se limpió de un manotazo el sudor de la frente:

—Vos mandás —dijo.

Myriam se adelantó hasta el medio de la calle,

alzó el fusil con el pañuelo rojinegro, expuesta, inconfundible, y disparó una descarga al aire.

—Nadie más dispara —gritó.

Dentro del cuartel, el jeep de Flores toreó las nalgas de don Chepe y su guardia.

—¡Avancen, cabrones!

La curiosidad en los techos reemplazó la destreza en los digitales. La tensión se concentró en las retinas. ¿Quién viene? ¿Quién salía?

Don Chepe gritó:

—No disparen.

Aunque nadie disparaba. Los sindicalistas de Matagalpa colgaban desmayados en los brazos de los carceleros como telas y los soldados debían levantarles las barbillas para alcanzar a cubrirse. Tallados en la tortura, hasta la inconciencia. Cuando el frontis del jeep de Flores atravesó el portón, Myriam supo que uno a uno, todos los fusiles iban a ser más rápidos que sus dueños. Que los tiros volarían antes que la conciencia frenara a los muchachos. Comprendió sin embargo la parálisis cuando vio al lado de Flores, ahogada en el duro sistema de sus huesos, el rostro teñido de humo de Vicky, su manso cuello, y la expresión de cachorro abatido de don Antonio.

—¡Vicky! —gritó—. ¡Soy yo, Myriam!

La voz la alcanzó con el mismo vigor de un proyectil, la fuerza del revólver de Flores que le apremiaba la mejilla:

—¡Disparen! —gritó Vicky.

La caravana de los dos vehículos surgió de lleno a la calle, pesada, el tanque una carraca, los guardias maniobrando de escudos a los rehenes, torpes como bañistas por la arena ardiente. Parecían traer con ellos el humo del incendio, trazos de llamas en sus dorsos, jirones de tela calcinada que ondeaban en las notas absurdas del órgano que el cura oprimía, los pies hechos un vendaval sobre los pedales, las escalas recorridas por el brazo o por el puño antes que por sus dedos contaminados de lucha. Avanzaron en un espejismo, casi sin movimientos. Los sandinistas en los dinteles y en los tejados, las caras ardientes sobre las cunetas, cosquillearon las yemas sobre los gatillos, buscaron una y otra vez la orden alternativa de Myriam, pidieron que la garganta de ella se contagiara de esas llamas, que por una vez confiase en la puntería sagaz que sabría discriminar el corazón del guardia fascista del ojo del vecino, la frente aceitosa de Flores de la mejilla codiciada de Vicky, el mero corazón de Vulcano, que ahora palpitaría a patadas, de las sienes compañeras de don Antonio.

Los victimarios y los cautivos fueron empantanándose hacia el pequeño puente que los abriría hacia la carretera y de allí al fortín, y del fortín a la fuga. Los guardias libres. Las uñas de los pies de Somoza, sus pezuñas familiares a merced de las balas nuestras y ganándose centímetro a centímetro la fuga, pensó Myriam, avanzando junto con la caravana, corrigiendo con cada milímetro, con cada salto del empedrado, la mira del arma empeñada en el trecho de nuca que Flores ofrecía entre sus dos prisioneros. Disparen, había gritado Vicky. Pero de qué valdría dentro de una hora la victoria si ella muriese, si a don Antonio lo aplastase el tanque.

—Myriam —le imploró el proyectorista.

Y Myriam oyó lo que la voz del proyectorista pedía. Era simple: oía la frustración en los corazones de su escuadra tan clara como las explosiones del jeep, el arrastre del tanque. A pesar de que el grito la compelía, se quedó callada. Por toda respuesta se despegó de la muralla y volteándose hacia la calle, se expuso para que el operador y cada uno de los compañeros no tuvieran duda de su decisión. Ésa era Myriam caminando a la vera del jeep, familiar y rutinaria por la calle de su pueblo, como si ya Flores y sus secuaces les pertenecieran, como si ya todo hubiera acabado y los somocistas no estuvieran a metros de la libertad, no pudiesen huir de pronto masacrando a los rehenes en cuanto alcanzaran el puente. Si todos pensaran como yo, pensó Myriam, estaríamos todos muertos.

Intentó discernir la táctica de Flores. Uno, pasar el riachuelo. Dos, acelerar. Allí debían necesariamente soltar los rehenes. Ganaban a los compañeros y perdían a los torturadores. Éstos reforzarían otras unidades militares. O quizás se dispersaran, aparecieran después del triunfo tirando una bomba contra un puesto de milicianos, clavando fría una bala en el pulmón de una alfabetizadora, prendiéndole fuego a la cosecha, echando arena en el tanque de bencina de los buses. O quizá antes de huir les brindaran el último regalo, el cadáver de sus hermanos dispersos sobre el puente. ¿Con qué vehículo perseguirlos? ¿Cómo Plutarco, el buen Plutarco, no había extendido su plan con la elasticidad que cuando niño usó la honda para quebrar los vidrios de sus rivales amorosos?

El jeep de Flores alcanzó el puente. Por primera vez desde hacía media hora el aire le llegó a los pulmones. El corazón le daba una tregua a ese asedio de la sangre, a esa ráfaga convulsiva.

Una vez alcanzó a respirar antes de que su mirada se petrificara en la esquina opuesta del puente. Una vez en que el aire quedó suspenso en sus bronquios. Allí estaba el obstáculo, verde y sucio. Sigiloso y sibilino, escamudo, erizado lagarto. Una sola vez pensó el capitán Flores en el jeep que lo enfrentaba como un animal, una boa hecha de la misma materia de ese polvo licuado, ese barro del que parecían hechos los cholos. Había clavado al otro lado del puente su osamenta con la velocidad de un espectro, el rumor de un fantasma. Una vez, un segundo, Flores se dijo que hubo algo que jamás entendió en la tierra, algo que hasta los ciempiés, los insectos, los pájaros, las espantosas cucarachas, parecían comprender. Una clave, un puente inaccesible, que lo uniese con ese pueblo por el cual había hecho tanto.

Pero al segundo siguiente, al ver a Agustín bajar del jeep opuesto con la pasmosa arrogancia de los diecisiete años, la soberbia del pañuelo rojinegro, chulito del barrio, un lustrabotas de León que se deja deslumbrar por la coquetería revolucionaria, un galán de dos córdobas pitando despacio a la salida del González mientras mira los muslos resbalosos como peces de las chicas estudiantes, su verdadera imagen apareció en el líquido mágico del laboratorio. Recuperó su peso, su aplomo. Aterrizó dueño, patrón, monarca, ídolo en el paisaje acechante. Sintió cada fusil y cada mirada sobre su nuca, presintió las balas que vendrían a volarle los ojos, a dejárselos vacíos como las cuencas de esos ciegos que una vez había visto por decenas en una visita de caridad escoltando al Tacho, y se elevó por encima del pueblo, como un monumento, un submarino que emerge desde ese mar de mierda y guano, de guaro circulante por esa sangre sandinista que le entregaría Nicaragua a los rojos que alimentarían meses más tarde a sus hijos con mierda, según los cálculos más optimistas —los vestirían con ruines telas de saco, no tendrían jabón para lavarle el culo a sus bebés que nacerían como callampas, sus mujeres olerían a pachulí ordinario, los desodorantes se quedarían en Miami, en Colón, en San José, los jerarcas conseguirían tres mujeres pringadas de hongos, amebas, tricomonas por un par de dólares o un simple par de medias—. Se alzó del jeep con el orgullo de una flecha. Se erigió a sí mismo en el cuerpo de piedra y mármol que en un futuro no lejano levantarían en homenaje a su lucha leal contra el comunismo, a su respeto consecuente del mundo occidental cristiano y familiar, sin muros estranguladores, sin sindicatos con cuerpos grasosos nadando en las piscinas de las hosterías de lujo. Ya otros mejores que él se alzarían contra esa plaga que había calentado el nicaragüense con ese delirio que un día fueron sólo gargantas que gritaban revolución y que de pronto habían sido balas, y más balas, y el Tacho, con su gran corazón, hasta última hora jugando a la democracia. Se irguió como ahora Somoza estaría vertical en el centro de su bunker repartiendo frases de estratega que por los teléfonos, radios, cables, alcanzarían a otros capitanes fraguados en la navaja patriótica de la Academia, que aplastarían a la indiada como los bichos negros que eran, como las crujientes baratas rojas hechas para sus bototos. Se elevó sobre el jeep en el nimbo, la embriaguez de la gloria, la barbilla altanera, las pupilas relampagueantes, las retinas ardiendo, y suspendió la imagen de Agustín un instante, un segundo de benevolencia, de altiva magnificencia y paz consigo mismo.

—A vos te andaba buscando, cabrón —le dijo.

Agustín vio subir el arma hasta ser tensa extremidad del brazo de Flores. La dirección del caño, un soplo en su corazón. Todavía caminó un par de pasos con la prestancia desganada que da conocer cada tramo del puente, los sobresaltos y resquicios de sus piedras, el color y la humedad de la mirada de cada vecino que ahora lo auroleaban de una cosa familiar, la tibia intimidad de ese cielo abusivamente azul que tantas veces quiso alcanzar cuando niño pedaleando en el único lujo que tuvo en su vida, esa bicicleta *Record* regalada por papá Antonio para la navidad del 70, que hizo crecer sus muslos como troncos, que lo llevaba hasta la casa de las muchachas con la celeridad que envidiaban los choferes de taxi atascados en los discos «pare», hechos piedra en los semáforos, que le dio abdomen de atleta, que hizo su espinazo flexible, una pantera, ese lomo que un día se inclinó sobre las tetas de Myriam en la hamaca veraniega del traspatio y las llenó de una saliva sonora, la exacta sinopsis de la eyaculación que ella desvió sobre su estómago cobrizo: ando sin la píldora.

Distinguió a su amiga de entonces a un costado, el arma vacilante entre los cuerpos de don Antonio y Vicky. Agustín no vio la sonrisa de su hermana, porque ella lo miraba grave, una señora que viene de comulgar. Como la mujer más vieja del pueblo cuando él le traía desde Poneloya en su bicicleta la caja con mostazas y tés ingleses. Pero fue la sonrisa de ella, exactamente el rictus de Vicky, calcado con la ferocidad del grafito, la que apareció en su boca, llenándosela de un aleteo, la vibración plateada de una trucha eléctrica en el río, cuando dijo:

—Soltá a mi familia, cobarde.

Antes de que el balazo lo tumbara con la profesional precisión de la artillería de Flores, Agustín alcanzó a percibir el grito de alerta en la mirada de Myriam. *Me pusieron la sangre hervida*, pensó, pero su arma la levantó más como un saludo que como una defensa, como si viniera saliendo de un mar lento en que todos los recuerdos estuvieran hundidos entre los tesoros de infancia soñados en los buceos filibusteros con Vicky e Ignacio, y él los estuviera viendo pasar a su alrededor con la suspensión de un astronauta, con una invisible escafandra tallada de olores, atardeceres en el dintel de la puerta, pavoneo de pecho acompañando desde el liceo de vuelta a casa a la chica más linda del pueblo. En el asfalto del puente, no alcanzó a percibir que esa turbia emoción, confundida con tantas cosas, era la muerte.

Don Antonio y Vicky se despeñaron sobre el muchacho. Flores, expuesto a la metralla sandinista como los monigotes donde los reclutas practicaban al blanco, alcanzó a percibir la precisa justicia de morir así, impactado por los balazos que vinieron a rajarlo desde todos los puntos cardinales, todas las alturas, los niveles y las rabias. Sintió que todo el plomo del mundo se convocaba en su arrogante esternón y que la fuerza de los impactos lo hacía caer y lo meneaba: un leño que se hundía y resurgía en el oleaje caliente que lo desvaneció. Antes de que Myriam le disparara el primer proyectil, se había dicho: «Cada bala, una medalla.»

27

Que el triunfo tuviera un día en el calendario les resultó evidente e increíble. Se agolpaban en cada esquina, en cualquier callejuela, en los escaños de la plaza, en las gradas de la iglesia, y se tocaban y retocaban, incapaces de sacarle un grito más a la laringe. Cuando las tropas sandinistas llegaron arriba de esos tanques mágicamente galopados por adolescentes de barbas enredadas, con voces tempranamente enronquecidas, los vecinos los acompañaron como los niños al guaripola de una banda de provincia un domingo de mañana. Entre tanta apretadura, cada uno pudo sentir el latido del corazón del otro y ya nadie sabía si el sabor salado en la boca era el suyo o el del vecino. Habían anunciado que Borge hablaría en nombre de los triunfadores y las filas de gente, las columnas extasiadas, convergían desde todos los puntos para oír lo que todos querían oír ese día de julio, tronara o lloviera, hirviera la tierra o cayese una brisa fresca desde Poneloya: todos querían oír a Plutarco, diciéndole al Comandante Borge con su dedo incendiario: «Ahí tiene chamuscado por el pueblo de

León el Comando somocista, compañero.» Ninguno daba por imposible, mientras la manifestación se desenredaba y enrollaba y los besos cobraban a ratos la ferocidad del mordisco, que el orgullo de tantos vecinos no los llevara a encumbrar con diez mil brazos la bomba de incendios INSS, FCB 137 hasta la tarima donde hablaría Borge. Ya Sublime Salinas había sugerido que se inaugurara una plaza con el nombre de Plutarco, argumentando que había tanta calle con apellido de baboso que lo menos que se merecía el bombero era un nombre de avenida, de estadio de baseball, de obelisco. Plutarco había aceptado las felicitaciones y las sugerencias con un entusiasmo que no le permitió distinguir —el primer día— la ironía de lo probable. La ternura afectuosa con que cada vecino vino a palmotear su hombro, el turbador *rouge* de las chicas pintadas de gala lo hizo soñar con medallas, galardones, trofeos, copas de plata y oro, y cintas honoríficas labradas con la minuciosidad inglesa y las telas recónditas de la mujer más vieja del pueblo. ¿Un monolito para él y su bomba colorada? Además, sí señor, le dibujaría al vehículo rojo una trompa negra.

«De ofrecérseme algún reconocimiento, voy a aceptarlo», declaró Plutarco saboreando la sexta cerveza, esta vez ofrecida por la madre de Ignacio. Ella, empujada por la gente, era un feliz velero a la deriva en un día de viento. Por el horizonte tendría que venir la brigada «José Benito Escobar» trayendo de vuelta a Ignacio después de meses clandestino, de semanas en que las adoradas calles de León le estuvieron prohibidas. Sólo una vez, por la noche, había concertado una cita en las afueras que le había molido los riñones y la puso al borde del infarto.

Cuando Salinas se acercó a los segundos de Borge y en el vértigo de la victoria y la levitación del ron les trajo la encomienda de que el pueblo de León no vería a mal que se reconociesen los ingeniosos servicios prestados a la revolución por Plutarco Ramírez con algún tipo de acto simbólico, los lugartenientes le preguntaron *qué* por ejemplo. Salinas, el pensamiento alado, nebuloso y la lengua más ligera que los pies de Mercurio —apodo del que abominó siempre con entusiasmo— encontró oportuno que de sus labios saliera algo tan contundente como: el aeropuerto. El guerrillero apuró el tranco para alcanzar al Comandante en Jefe y simulando un adiós contrito, le gritó: «Llegaste tarde, pues. Al aeropuerto ya lo bautizamos *César Augusto Sandino*.»

Sólo uno de los cientos de guerrilleros que avanzaban entre vítores hacia la plaza se descolgó del camión desde donde repartían besos a las chicas y apretando el tranco, estuvo en un par de minutos ante la puerta de la barbería. Encontró a don Chepe frente al espejo atizándose con esmero el nudo de la corbata que se derramaba elegante sobre el traje de gala, tela inglesa, adquirido, con el sudor de la navaja, a la mujer más vieja del pueblo.

—Don Chepe —lo llamó, adelantando con las palabras el abrazo que le venía borboteando desde el corazón. El peluquero captó su rostro en el espejo, e incapaz de descifrarlo bajo la suciedad, la barba confusa y los bigotes derramados que ocultaban la boca que había emitido su apodo con tal entusiasmo, se dio vuelta, y lo escrutó con la ansiedad de quien no puede penetrar un jeroglífico.

—¡Soy Leonel! —le gritó el muchacho hundiéndose en el pecho del peluquero, quien ungió sus labios en cada pelo entramoyado de esa barba feroz y clandestina, sin una mecha identificable.

—¡Chaval! —le dijo—. ¡Mi chaval lindo!

—¡Volví, vivo, carajo!

—¡Vivo, carajo! —Siguió besándolo don Chepe. Quiso allanar con sus besos esa selva y recuperar al pulcro estudiante de leyes con quien tuvo debates tan sentidos sobre todos los temas de este mundo y la mitad del otro.

—¡Don Chepe! —gritó Leonel—. ¡Don Chepe, carajo! Esto es un sueño. Aquí me lo estoy abrazando en su propia peluquería vivo como un puma en la montaña. ¡No me lo suelto, viejo, ni aunque me arrastren con grúa!

—¡Abrazame más fuerte, carajo! —le gritó don Chepe. ¡Volviste entero!

—¡Un transatlántico, don Chepe! ¡Tengo los muslos más duros que patada de mulo!

Don Chepe lo apartó y lo quedó mirando hasta que las lágrimas simplemente le manaron.

—¡Estás lindo, Leonel!

—¡Qué va, hombre! ¡Estoy lleno de maleza, picaduras de zancudo barro en los dientes, sarro en los talones, orzuelos del tamaño de una roca, callos como herraduras y un olor a chivo que donde me paro se acumulan las moscas!

—Hijo —reflexionó don Chepe—. Estás perfecto. Como si te hubiera pintado un pintor famoso.

—Sí, pues. Picasso en la época del cubismo.

Leonel remeció los frágiles hombros del peluquero, y al retirar sus manos pudo advertir la negra huella sobre el impecable saco de gala. Se metió las uñas entre los dientes y abrió los ojos compungido como un estudiante copiándole la prueba al compañero de banco. Cuando quiso sacudir con el dorso su estrago, sólo consiguió que éste se expandiera hecho una mancha glotona.

—Perdón, don Chepe —dijo.

El viejo se atisbó las hombreras y sopló sobre ellas sin entusiasmo y sin éxito.

—Iba hacia la plaza, pues.

—Te esperás un poco. Necesito que me hagás un favor.

—A tus órdenes.

—Primero, necesito que me desbrocés un poco. Así como estoy, parezco un guerrillero de película yanki.

—¿Querés que te afeite?

—No, hombre. Que me sinteticés. Que me rebajés la barba y me echés un par de litros de desodorante.

—Hijo, yo con mis tijeras no toco un pelo de esa barba.

—Está bien. Por lo menos metele tijera al pelo. Cortame medio metro.

Don Chepe consideró la melena con dos mecánicos gestos de la cabeza, los de un títere accionado por la mano de un niño.

—Leonel Castillo. Aunque la moda en este pueblo jodido llegara a amarrarse los zapatos con la champa y este viejo servidor muera con tijeras oxidadas y la navaja roma, no te toco un pelo porque sería sacrilegio.

Leonel avanzó hasta los espejos ovalados, que proyectando su imagen en un juego circular le permitieron apreciarse por primera vez en detalle. Parpadeó encandilado por el fogonazo que emitían sus propios ojos. Estuvo diez segundos estudiándose con absorta seriedad, y luego se dio vuelta hacia don Chepe, pestañeando: un insecto aturdido alrededor de la bujía.

—Don Chepe: ¡se me había olvidado cómo era!

—¿Y?

—Si me ve así la Vicky, se muere.

—¿Cuál Vicky?

—La Vicky Menor.

Don Chepe accionó las manos, refregándoselas tras haberse lavado, y después las hundió profundo en los bolsillos del saco. Cinco segundos después las extrajo y se rascó un pómulo. Después se echó el pelo hacia atrás, se palmoteó la ondulación gris sobre el oído izquierdo, volvió a soplar las manchas de las hombreras, otra vez los puños en los bolsillos del pantalón, y al cabo de cinco segundos los sacó y se rascó con las diez uñas la frente. Lentamente, Leonel se puso alerta.

—¿Qué fue, don Chepe?

—Vamos a conversar una peinada.

Leonel lo miró un segundo y se dejó caer en el giratorio del barbero espiando la expresión de don Chepe por el espejo. Éste cogió el cepillo de fibras más duras y lo clavó en la obtusa vegetación del guerrillero sin que llegara siquiera a rozar el cuero cabelludo.

—Cepillo y tijera —aclaró don Chepe—. No cortamos nada, pero vamos desenredando.

Desde la plaza se escuchó el chirrido de los parlantes. Don Chepe dijo:

—Va a hablar Borge.

—¿Qué fue, don Chepe?

—¿Qué?

—Te pusiste raro de repente.

El peluquero aplastó con vigor la raíz de la melena, y desde allí empezó con el cepillo a desentrabar la cascada. Tuvo la resistencia de un entramado de lianas, que obligaron a sus muñecas a menearse cual batidora.

—¿Qué tenés vos con la Vicky Menor?

La mano de Leonel fue un picotazo de gaviota sobre el pulso del peluquero.

—¿La mataron?

—No, hombre, no.

El muchacho mantuvo su tensión sin parpadear.

—¿Anda con otro?

—No —dijo el peluquero—. Soltame, ¿querés?

Pendiente de los labios del hombre, como si palpara las palabras antes de que salieran de su boca, dijo:

—¿Qué fue?

—Mataron al hermano.

Leonel se mesó lentamente la barba, pensó medio minuto, y bajando la vista, se encogió levemente de hombros.

—Ese cabrón se la buscó, andaba con los somocistas, pues.

Don Chepe sintió que a través del frenesí de su muñeca, el puño que agarraba el cepillo, comenzaba a temblar. Adivinó los ojos mojados, y ahora era otro el sabor de la lágrima que el de hacía cinco minutos, cuando había apretado y estrujado a Leonel, y la dicha era un torbellino que ascendía desde los tobillos y mareaba como un champaña bebido al desayuno.

—Antes de hablar, preguntá —dijo con la voz ronca—. No sea que se te llenen las bocas de moscas.

«El sol del amanecer dejó de ser una tentación», se oyó en los parlantes de la plaza y el griterío tronó incontenible en la ciudad. Los fuegos artificiales quisieron reemplazar a los balazos, pero los combatientes más niños acompañaron los luceros de bengala, el barrilete tizú, la cascada de polvo de estrellas, con salvas de balas auténticas que llevaron a los padres a reprenderlos, a bajarles las armas, como quitándoles una bolsa de caramelos, restableciendo con los hijos una dependencia mutua que los dejó momentáneamente desconcertados. El cura había pedido ayuda a Salinas y éste revolvía el campanario tocando cada bronce con la fiereza que había visto en el cine, cuando los films abrían con la imagen del atleta, un músculo en cada poro, impactando el abdomen del gong; ese prestigioso sonido que quedaba vibrando desde la *matinée* durante la semana entera.

Leonel se levantó taciturno del sillón, descavó con sus propias manos el peine perdido cual insecto en su melena.

—Dejá —dijo—. De babosos nos vamos a perder al Comandante.

—Y la Vicky Menor estuvo presa —dijo don Chepe, como si no hubiera oído el comentario del muchacho, exactamente igual que si él no se hubiera levantado del sillón y no estuviese ya en la puerta. Ordenó los frascos de la repisa de vidrio, sólo para terminar ubicándolos en la posición originaria. Leonel vino hasta su lado, y tomándolo por los hombros, lo compelió a que continuara—. En el cuartel, pues.

El muchacho hizo desaparecer sus manos entre el pelo y buscó por toda la habitación el aire que de pronto le faltó. Con la espalda abatida volvió hasta el sillón, miró a don Chepe por el espejo, y le dijo suavemente, como tratando de evitar que las palabras convocaran desgracias:

—Contame.

28

Mucho antes de la insurrección mi hijo andaba con los sandinistas. Fue para los levantamientos del 78, entonces yo iba con una amiga y lo miré. Le dije yo, allá va mi muchachito uniformado, quién sabe para dónde va. Luego yo me voy para ese lado y pregunto que para dónde iba. Entonces me dicen, ya van a unidad de combate, me dicen. Entonces yo ahí me quedé pues, echándole pues más o menos que me le fuera bien. Luego pues yo a él no lo volví a mirar. Lo vine viendo más o menos como a los veintitrés días porque el día que se fue de la casa yo no estaba aquí. Sólo me dijo su hermana: mamá me dice, éste su hijo le dice adiós porque quién sabe si va a regresar a la casa. Ellos querían recuperar unas armas allá para Casa Blanca. Las recuperaron con su escuadra, pues. La escuadra «José Benito Escobar», ¿ve? A los días pues, cuando supe que les había ido más o menos bien quise ir para la Paz Centro, y ahí me fui buscándolo, con una señal que me había dado no se imagina quién. Que no se va a imaginar que era el cartero Salinas, pues. Él me dijo que no fuera a la

Paz Centro, que lo buscara por los alrededores del colegio de la Reinaga. Y entonces yo fui y pregunté si ahí estaba Ignacio. Soy su madre, pues, le dije al superior de él. Y ya le pregunté si lo podría estar llegando a ver. Claro que sí me dice, si usted es su madre. Puede venir todos los días a verlo, pero que no me la miren a usted. Cómo se le ocurre, señor, le dije yo. Tuve llegando como cuatro días a verlo. Entonces el último día que llegué «madre», me dijo, «ya mañana no venga porque quién sabe para dónde nos van a mandar». Entonces yo insistí. Llegué todavía. Le digo yo, ¿y mi hijo? Se está bañando, espérelo, me dijo. Entonces yo lo esperé. Ya lo saludé ya todo. Ya fue la última vez que lo vide. Después llegó su hermana a verlo. Porque yo le dije, dice su hermano que ya no va a estar aquí y que no sabe para dónde lo van a mandar. Su hermana llegó. Entonces no lo halló. Ya la casa estaba desocupada. Ya no había muchachos. Entonces ya después de eso ya tenía meses de no verlo, cuando yo mandé a una mi hija a buscar unos frijoles para allá para el lado del hospital, que había unos frijoles a cuatro pesos, pues. Y ella vino pues con alegría ese día. Y me dice, mamá me dice, ya sé dónde va a estar el Ignacio. Entonces ya me dijo ella que era ahí, por el lado del pavimento, cerca del hospital. Que don Chepe le había dicho ¡Ay!, le digo yo, era la una del día cuando ella vino. Le digo yo, ¡ay en peligro está mi hijo!, le digo yo. Por qué mamá, me dice. Porque no oís cómo se oye el Fortín. Así terrible se oye día y noche. Y le vuelvo a repetir, mi hijo está en peligro. Y nosotros también mamá, me dice ella. Y es que nosotros teníamos la manguera en la casa, pues. La manguera para que llegara al Comando. No toda la manguera pues. Un pedazo así de aquí a la pared, ¿ve? Y después yo no pensé más en él, porque vino el incendio. Estuvo lindo. Y Flores salió trayendo rehenes. Y entonces yo dije dónde estará mi muchachito. Yo quería ya mostrarle que habíamos pues quemado el Comando. Y ese día, pues, como le digo, fue el día más feliz que yo sentí ese día desde que amaneció. Nos llamaron para que anduviéramos en manifestación. Anduvimos en manifestación. Cuando era la seis, yo le dije yo a una mi nuera, vamos a la iglesia La Merced. Entré de rodillas a la iglesia, pidiendo por él, por todos nosotros, pues, porque ya miramos, pues, que íbamos a ser liberados. Comulgué, oí la misa, estaba alegre ese día. Fue ese día que vino Tomás Borge y hubo concentración. En esa concentración yo desfilé, yo pues me sentí alegrísima, yo aplaudía, yo gritaba, yo todo. Cuando llega una señora y me dice, me dice, hubieron unos muertos para el lado del Fortín, me dice. A mí pues no se me vino que fuera mi hijo. Luego un muchacho llega alegre abrazando a una su familiar, pues. Le dice, somos liberado la patria, le dice. Yo sentí una alegría, porque yo dije en cualquier momento veo a mi hijo, ¿ve? Luego pasa una camioneta por la esquina de San Ramón, hacia el González, y después del González sube para el lado. Y la gente dice, ahí van los muertos. En esa camioneta. A mí nunca se me imaginó que era mi hijo. Yo no sentí nada de tristeza, nada, sólo alegría. Desfiló pues el desfile de Tomás Borge que iba para San Felipe. Yo iba alegrísima, pues. Yo sigo ahí y entonces me dicen dos señoras me dicen: ¿con quién andás? Sola, le digo, porque la hija mía se vino. Todavía ahí, pues, alegre yo, detrás de la manifestación. Cuando llegamos a la esquina de La Merced, me dicen ellas: devolvámonos porque se hace noche, están muy oscuras las calles, devolvámonos. Eran tres señoras las que íbamos. Nos íbamos siempre alegres, platicando y todo, ¿ve? Cuando nosotras venimos, en la esquina de aquí que le dicen Las Videntes, una señora llama a una amiga mía que se llama Ramona. Monchitá, le dice, y esta madre tan contenta que anda, dice, no se da cuenta que su hijo es muerto. Ella le estaba diciendo en secreto y yo le oigo. Entonces le digo yo: ¿Monchitá mi hijo murió?, le digo yo. No, no, no, me dice, sigamos el camino. Cuando al pasar frente al Comando, por lo de Orlando Barros, yo oigo unos gritos. Otro muerto, dije yo. Yo le digo: Monchitá, yo siempre dije que el día que caiga mi hijo no me lo nieguen. Y ella que no. Me dice que no. Me dijo que estaba aquí en la casa, pero de que estaba herido. Que lo habían traído a la casa herido. A mí se me imaginó que a un herido no lo iban a traer a la casa, sino que a un hospital. A una clínica, pues. Cuando llegué a la esquina para doblar a mi casa, ella me dice: llegó el momento, me dice, de lo que vos me habías dicho, que ibas a tener fortaleza que Dios te había dado. Entonces le digo: sí lo resisto. Mi hijo es muerto, le digo. Cuando yo salgo a la esquina, ya veo aquel gentío en el pavimento. Yo veía que la gente corría para avisarme, pero otros le gritaban que no le digan nada, que ya va a venir a la casa. Entonces cuando yo dentro aquí a la puerta de mi casa, yo me siento en el aire, ¿verdad? Ya me agarran entre las doncellas, pues. Yo veía lleno de gente. En este lugar donde estamos nosotros, aquí estaba tendido mi hijo ya en su caja. La señora Rosa estaba ya al pie de él. Ella es la mujer más vieja del pueblo, inglesa que fue, y ya le había rezado su rosario. Y yo lo que le dije no más fue que se haga su santísima voluntad, señor, le digo yo. Y justamente yo le eché su bendición a él. Le hice sus rezos. Y digo yo: retírenme de aquí aquella ropa que la traía empapada. Entonces ya, pues, me dieron una pastillita, y ya la gente iba dándome el pésame. Yo, ¿para qué le voy a decir? Yo traté de sentir como él me lo decía, que el día que él muriera yo no tenía que sentir tristeza. Pero nada de tristeza yo no sentí. Me dijo él que no lo llorara, y así lo hice, ¿ve? Pasó su día, su entierro, todo pues, y yo ahí, tranquila como usted me está mirando. Y él me decía: madre, me dice, el día que yo caiga si es posible usted un vestido rojo, una falda negra con alguna camisa roja. Usted nunca ande de negro, porque usted se va a sentir la madre más orgullosa. Entonces yo le decía: que bárbaro, le decía yo, ¿creés que yo soy qué que no voy a sentir?, le decía yo. Entonces el sólo se ponía a reír.

En la noche vino Tomás Borge. Vino con sus amigos. Y vino con su jefe de él, el que mandaba a mi hijo, Zacarías, pues. Entonces entraron y yo estaba ahí, y ahí me estaban componiendo el cuerpo de Ignacio. Y yo al pie de él estaba viéndolo. Porque me dijeron, si usted tiene fuerza de verlo, ahí se está, me dicen. Y yo ahí, y Monchitá me dice: tu hijo murió en la camioneta. Venían liberadamente alegres manejando, cuando dicen que salieron por ahí unos desandados y les dispararon. Y ahí murieron los cinco que venían en la camioneta. Mi hijo, pues. De los otros conozco sólo uno que era vecino de nosotros. Se llama Mario Soto. Fueron los dos que cayeron del barrio, juntos. De los otros uno era de Guadalupe y los otros de Cuello Largo. Entonces vino con Zacarías, Tomás Borge. Entró ya preguntando, pues, que quién era su mamá. Y ya le dijeron: esa señora, pues. Y ya me agarró, me abrazó, me besó finamente, pues. Y entonces, cuántos hijos más, me dice, le quedan. Varones, cuatro, le digo yo. Usted no tiene, me dice, sólo eso. Usted tiene miles de miles, me dice, y usted no está sola, está acompañada. Gracias, le digo yo. Porque usted es una madre que la veo así. Queriendo decir que yo ni una lágrima ni nada. Y le digo yo, así me lo pidió mi hijo y se lo tengo que cumplir. Entonces, ya lo mismo, Zacarías me dio el pésame también. Ahí estuvieron un ratito y luego se fueron. Del barrio también murió el hijo de Antonio Menor. Quién sabe si fueron para allá, digo yo. Yo no siento, pues, que mi hijo esté muerto. Yo lo recuerdo vivo. Yo le digo que para mí mi hijo no ha muerto. Él me dijo que cuando ahí lo tuviera tendido, todo el día le pusiera su música que a él le gustaba, ¿ve? Yo le decía, ay hijo, apaga esa grabadora porque nos van a venir a matar. Pasa uno, oye, y qué se demoran que nos vienen a matar. Aquí ponía la grabadora fuerte en esa mesa. ¡Él nunca tenía miedo! Él me dijo que le tuviera la música todo el día puesta hasta que saliera el entierro. Cómo no había luz ni batería, yo le dije a los amigos que salieran a buscar. A ponerle, pues, la música que a él le gustaba. *La tumba del guerrillero*. Y esa otra, *El pueblo unido*. Y yo le digo a los amigos que vayan a buscar baterías. Si me dan el gusto, les digo, se lo dan a Ignacio, pues, porque yo no tengo de dónde sacar baterías. Y entonces mandaron a buscar. Un amigo, pues, trajo un motor. Se le prendió aquella grabadora hasta que el entierro salió. Él me lo había pedido.

29

Lo vieron vagar por las cuadras adyacentes a la casa de Vicky hecho una mancha hirsuta, el Fal un mástil sobre el hombro derecho, la pistola destellando en el cinturón bajo la media luna. Por los visillos, aún más curiosos que exhaustos, lo vieron detenerse y tragar aire. Luego, cabizbajo, lo miraron retroceder y recostarse sobre la vereda como un quiltro sin amo, y raspar la madera de su puerta con una mirada que desveló a las adolescentes, soliviantó a las viudas umbrosas, desvió el trayecto de los soberbios gatos, y ocasionó un grave soponcio en Salinas para quien la presencia del muchacho fue el huracán que le apagó el ánimo que se había alentado para llegar a hurgar en la misma calle. Antes de venir, había construido su coraje con mil bochornos, soflemas, sofocos, erubescencias, intríngulis y suspiros, que hasta atrajeron la atención del abogado Rivas, quien por primera vez esa noche lo había saludado no sólo tocándose el sombrero de fina pita panameña sino sacándoselo con una pirueta cortesana. Las rodillas de lana, pasó por la vereda opuesta silbando *Cafetín de Buenos*

Aires sin que siquiera su rival lo advirtiese, metido en su silencio como un astronauta en el espacio.

Mucho, pero mucho después de que el cartero llegara hasta el último bar donde los borrachos lamían la humedad de la cerveza sobre el mesón exangüe y extendiese en él cincuenta córdobas desesperadas que en un segundo consiguieron que lo rodearan amigos entrañables de toda la vida, más viejos que el pinol y más antiguos que andar a pie, expertos en desvalijar cuitas, rigores y congojas, Leonel se animó a pararse a medio metro de la casa de Vicky con una cautela que no convenía ni a su tamaño ni a su aspecto. Parecía esperar una señal que encendiese esa casa fantasma, ese navío de luto cuyos invisibles crespones pendían de cada ranura.

Cuando tras horas, su puño se hizo la minúscula cabeza de un quetzal para rasguñar, resbalar, lamer la entrada, el barrio entero con ceremoniosa discreción apagó las luces. Los padres arrastraron a las jovencitas hasta el lecho, y ellos mismos probaron de cerrar los ojos, cuyas retinas palpitantes aún se electrizaban con Borge en el estrado diciendo *victoria*.

—Vicky —llamó con tal sigilo, que dudó de que el pensamiento hubiera salido de sus labios. Pero provocada por su voz, se encendió la luz del living. Los pies se le marearon y extendió una mirada de animal furtivo a lo largo de la calle. Le pareció que todo su cuerpo le convergía en el oído y que éste amplificaba cada paso de la muchacha camino a él. Anticipando la textura de la piel de Vicky sobre la manilla interior del estriado maderamen, deseó no haber venido. Tuvo nostalgia de esos naufragios de timidez que lo arrojaban a la lírica con la espantosa clarividencia que dan las sábanas vacías de que el arte es un espúreo substituto del amor. Había escrito poesía de mierda, cartas de adjetivos pomposos, y había callado en los momentos decisivos más atento a no incurrir en la frase falsa que a seducirla. Media vida descorchando sílabas que tuvieran imán, celajes, o al menos esos silencios graves de sus actores predilectos que lo habían estremecido en la butaca del cine Garbo en San José: Tom Courtenay en *La soledad del corredor de fondo*, Albert Finney en *Sábado de noche, domingo por la mañana* y sobre todo Richard Burton entre la niebla borracha soplando su trompeta antes de bufar sudoroso sobre el cuerpo de su esposa pusilánime en *Recordando con ira*.

La chica llegó a él con la perplejidad de quien acude a un llamado y en el camino olvida qué lo trae. Su vista estuvo un instante en el pecho del muchacho y morosa subió hasta sus ojos. La luz diagonal de una lamparilla acentuó el misterio de su pómulo y cubría con otro tono el delgado luto que la cernía hasta los pies. Leonel estrujó el caño de su arma y cerró los ojos levantando la quijada rebelde hacia el cielo estrellado. Se oyeron respirar mutuamente. La noche también tenía esa calma grave.

—No llorés —dijo ella.

El muchacho adelantó una mano hasta su oreja. Vicky recostó encima su cuello. Estuvieron un rato así y él no supo respirar. Luego ella se distanció medio metro y lo observó hasta los pies.

—Abrí los ojos —le pidió en un susurro.

—No —dijo el joven.

La chica puso dos dedos sobre sus párpados y palpó la humedad traspasando las tenues pestañas.

—Abrí los ojos, Leonel.

—No —contestó, ronco.

Ella enredó las uñas entre la barba del guerrillero y las fue bajando hasta que rasgaron la vegetación del pecho.

—Entrá.

Leonel vino rápido hasta el centro del salón, se despejó de un manotazo la turbia materia que difumaba su visión y aspiró hondo todo lo que tenía en las narices, tragándoselo. La muchacha esperó a que él girase, y sólo cuando Leonel, temblando, lo hizo, desplegó en semicírculo el brazo presentando la casa y volvió a doblar manso el cuello.

—Contame —dijo, las pupilas atrapadas en el papel de las murallas, en las lentas enredaderas.

El joven puso la culata del rifle en el suelo y se apoyó en el caño sintiendo que el luto era un carrusel entre ambos, que todo estaba allí lleno de polvo, que se movían lerdos, barcos en un mar sin oleaje ni viento, igual que si temiesen despertar a la muerte dormida en los sillones, en el álbum de fotos sobre la mesa, en el moho del calendario, en las baldosas de cantos roídos, en la noche que se alejaba sideral. «Contame», oyó el muchacho. Su voz había atravesado cristales para llegar tan pálida. Era como si Nicaragua caliente se hubiera llenado de un hielo taciturno, fugaz, de tranco felino, agazapado en las cejas y nimbando la Vía Láctea.

—Aquí estamos —dijo, sintiéndose opaco, importuno, infranqueable, el corazón latiéndole sobre el rifle, los músculos de la cara tensos, la barba y la melena un refugio y no la ostentación.

Un fuego artificial póstumo encendió de un fogonazo rosa y amarillo el cuarto, y sus flores cayeron un segundo más tarde, diminutos cometas.

—Mataron a Agustín —dijo ella, y señaló con un dedo hacia el interior de la casa.

—¿Y tus viejos? —Vicky se rascó las mejillas—. ¿Están durmiendo?

Al negar con la cabeza, le pareció al poeta que los gestos que ella iniciaba entraban en un inefable sonambulismo, se calcaban con blanda precisión, como ahora en que seguía diciendo *no* más allá de lo justo, acompañando un vals apático.

—Aquí nadie duerme.

Ahora Leonel creyó oír respirar a don Antonio, pequeñas vibraciones del aire, la minuciosa red esquinera de una araña. Se acomodó el morral en la espalda y despejando el rifle del suelo, dijo mirándose la punta de los bototos:

—Habrá que irse yendo, entonces.

—Te quedás —dijo ella.

—¿Aquí? —preguntó Leonel, envolviendo con su gesto más que la casa todas las fauces del silencio, las cosas más parecidas a sus sombras que a ellas mismas, la nube cargada de presagios, el leve toque de armiño en los brazos cruzados sobre la amplia falda de luto que neutralizaba su cadera.

—¿Dónde si no?

—En el cuartel, pues.

Echándose atrás el pelo caído sobre el pómulo que recibía la tibia luz de la pantalla, la chica fue hacia el interior de la casa, y abrió sin golpear el dormitorio de sus padres. Como en un retablo, Amalia y don Antonio estaban sobre el lecho doble, las espaldas contra la pared, tramados en el mismo silencio que mandaba en el salón, el patio, en la complicidad de los vecinos. Con un parpadeo le indicó al joven que se presentara al dintel. Cuando lo tuvo en el marco, leyó en su padre la tensión por identificar ese rostro hirsuto, y en Amalia el arduo reflotar de su conciencia. Las manos sin entrelazarse en la penumbra, como quien teje una lana invisible, exclamó de pronto:

—¡Es Leonel, viejo!

Antonio asintió con la gravedad de un juez.

—El poeta.

—Vengo de la guerra —dijo el muchacho, levantando torpe el rifle. De alguna manera, otra vez ante Antonio, precisaba pruebas, argumentos convincentes para ese viejo político y artero.

—Muchacho —le dijo muy suave el padre.

Envuelta en su chal negro, Amalia llegó a abrazarlo, y ya en él, se apretó aún más dentro del enmarañado tejido. La ausencia de Agustín era el frío de un cuchillo de plata. Puso la mejilla sobre su tórax y oyó el turbulento rumor de la sangre del joven, más fuerte cuando éste envolvió su cabeza en su mano curtida de pólvora y sol.

—Señora Amalia —dijo el chico, besándole el pelo. La madre restregó la frente sobre el corazón de Leonel. Éste clavó las pupilas en don Antonio. Todo le resultaba una danza cuyos pasos no conoció jamás, compases entreverados que había que bailar sin música, el cerebro vacío de consuelos, de frases superficiales, de qué horas serán, de ayudando a sentir, de triunfamos, de vencimos, carajo. Ni una palabra.

—Mañana —dijo don Antonio, con la distancia de quien leyera algo en el diario local—. Iremos temprano a la cárcel a declarar. ¿Supiste que nos mataron al Tin?

—Sí, señor.

—Mañana temprano —dijo el hombre, y atisbó la noche avanzada con indicios de aurora.

—Contale también que estuve presa —dijo Vicky, mirándolo decidida.

Don Antonio trajo la sábana desde la cintura hasta los hombros. Estuvo un rato frotándose la frente, quiso iniciar una frase, y se contuvo.

—¿Cifuentes está preso? —preguntó Leonel, con ganas de rascarse todo el cuerpo, pero sin moverse.

—Sí.

—¿De eso se trata mañana?

La madre se desprendió del cuerpo del joven y le arregló el pañuelo sandinista sobre la guerrera.

—Voy a prepararte la cama —anunció, encaminándose hacia la pieza de Agustín.

Antes de que alcanzase el pasillo, Vicky la detuvo.

—No te molestés. Leonel duerme en mi cuarto.

Amalia no necesitó mirar a Antonio para percibir simultáneamente el esbozo de su escándalo y la vergüenza, que como un antídoto, le cerró la protesta en la garganta. Supo del sabor del nuevo agravio en la saliva.

—Como vos mandés —dijo entonces.

Los cuatro se quedaron en la semipenumbra, una foto más entre los cuadros de las repisas, más activas las hojas del árbol en el patio, más bulliciosas las hormigas y las mariposas durmiendo entre las verduras.

—Mejor nos acostamos —rompió Amalia, la vista vertical en el corredor de baldosas.

—Sí, mañana es el trámite —murmuró Antonio, como si otra persona hubiera usado de sus labios para decirlo.

Cuando en ese instante Leonel se aclaró la garganta, hasta su leve carraspeo le pareció inoportuno:

—Borge dijo que no debemos ser revanchistas —bajó el volumen a medida que avanzaba la frase—. Dijo que no valía la pena hacer la revolución si no se es absolutamente distinto de aquello contra lo que se ha luchado.

Buscó brusco las pupilas de Vicky. Como engarzada en ese movimiento, sin tregua, la muchacha dijo áspera:

—Borge es Borge, y yo soy yo.

Por un instante pareció que los cuatro tragaran juntos saliva, que el silencio fuera una fiebre estupefaciente, un país sin fronteras, la madre de los sillones, la muerte de un pájaro.

—Vení —dijo entonces Vicky, y el joven emergió agradecido de ese pantano siguiéndola hacia la habitación. Entraron a oscuras. Ella hizo girar la voluminosa llave en la ranura antes de prender la luz. Avanzando a tientas, evitó la bujía que colgaba del techo, y fue hasta el interruptor de la lamparilla. Al tirar del cordel ésta reveló una bruñida pantalla celeste con terneros rosados, pastores de flautas pánicas, nubes de loros aguileños, un ángel pulsando una lira no más grande que un bombón.

Al poner su Fal sobre el armario, reconoció su letra en la carta. Espió tres líneas del texto y se tapó los ojos avergonzado. Luego la cubrió con la pistola que extrajo del cinto. Ella se había envuelto con su luto en la tosca tela blanca de la sábana, en cuyo extremo un colibrí había trenzado sus iniciales.

Contemplaba a Leonel como un viajero un paisaje remoto. Extendía una invitación a una gira irreal hacia una pieza, una cama, una alfombra, una luz, unos insectos enredándose en las persianas, que no eran estos de aquí, estos de ahora.

—Aquí estamos —suspiró Leonel, desguarnecido ahora que las armas compinches lo habían desertado. Quiso que su sonrisa fuera la lenta germinación que alentara en ella ese brillo conocido en la historia del barrio como el magnetismo de Victoria Menor, pero su esfuerzo chocó con una ausencia aún más compacta.

—Estás parado ahí como un poste —le dijo ella tras largo rato.

El muchacho creyó tener adoquines que le colgaban de los puños. Maldijo sus hombros torpes. Deseaba alguna inspiración que desatara pumas en la pieza, una marea que convocase un delirio de imágenes, de verbos libres en el viento, una pequeña tregua para reencontrarse con su gracia, con el ángel que había cargado en su mochila durante la insurrección, y que ahora parecía narcotizado frente a la mujer que más había amado en su vida.

—Sí, pues —dijo, hundido en su impericia.

—Acostáte a mi lado.

—¿En la cama?

—Dónde si no, pajarón.

El joven vino hasta el lecho y antes de tenderse probó la textura del colchón como un bañista la temperatura del agua. Puso la mejilla sobre la funda, y apelando a los resabios de una fingida serenidad, sostuvo la dúctil mirada de ella sin concederse pausa.

—Volviste.

Leonel inició otra sonrisa y esta vez la sostuvo. Vicky le tocó la frente midiéndole su temperatura y luego hundió una mano en su barba. Él quiso domar el delirio que ese mínimo roce le produjo con una sonrisa aprendida de sus actores favoritos. Entonces pensó decir, pero no lo dijo: «si esto fuera un film y yo estuviera actuando con toda seguridad me darían el premio *Judas Iscariote*». Pero al callarlo, su sonrisa se le afirmó y pudo sentir que le trepaba hasta los ojos. Que su rostro, poco a poco, comenzaba a parecerse a él, como él mismo se veía.

Un minuto después el silencio se le había transformado de celada y rival, en cómplice. Incluso pensó empujar con la punta del pie una bota y lanzarla al suelo sin que le importase el alboroto que quizás despertaría a los gallos y a los vecinos, y quién sabe si luego no soltaría las anclas de la otra para aliviar de una buena vez esos dedos carbón y el callo del meñique.

Con la voz ya sonámbula, Vicky le dijo:

—Voy a dormir. —Y le agregó inmersa en el umbral del sueño—: Cuidame.

El muchacho no pudo moverse, fascinado de sólo contemplar cómo ese rostro que despierto estaba roído por la tensión, al meterse en la inconciencia recuperaba cada trazo de su sensualidad hasta ir ganando la apostura de un fruto, el pelaje codiciable del melocotón terso.

La deseó con una furia quieta. Su sexo se abultó en un mágico segundo. Lo alcanzó con una mano, y pesquizó cada exhalación de la chica con la boca tan junto a sus labios como si fuera a besarla. Se fue llenando de ese aire turbador, del recuerdo de la elástica pátina entre ingenuidad e ironía con que dejaba exangües a los chicos de Subtiaba cuando la veían pasar rumbo a clases. Recuperó la fragancia sin perfume que se dispersaba desde su sostén y que parecía rajar la tela de su uniforme. Allí estaba esa joya animal, esa inteligencia, esa diestra artesana del arsenal quirúrgico, esa respiración tibia y húmeda teñida de luto, fulminada de negro sobre esta cama digna de una proeza, que si se le permitiese, necesitaría de quién sabe cuánto vocabulario galáctico para retenerla en un poema.

Fue calmándose a suspiros. Desvió la vista al cielo raso y entretuvo sus ojos en las manchas y sombras, jugando a percibir rostros o siluetas de animales, como cuando era pequeño y se acostaba con la modorra del deber escolar inconcluso, fantaseando un universo sin maestros, ni libros de clases, certificados mensuales, mesadas suspendidas y larga lágrima el domingo sin permiso para ir al cine. Cruzó los dedos sobre el corazón, y al cerrar los ojos, supo que le costaría abrirlos. En una penúltima ráfaga de lucidez, el titilar de una vela, pensó otra vez en desprenderse de las botas, pero el tibio desgano fue más perezoso que el proyecto. Antes de dormirse con un sueño que le pareció exceder el tamaño de su propia estatura, creyó oír una pequeña lluvia sobre el follaje del patio.

Más tarde, en la inconciencia, oyó pasos sigilosos, monosílabos roncos, y fue auroleado por un avasallador aroma a café. Sin embargo la fatiga se dio maña para voltearlo de costado, y la piel sobre la funda fresca era una delicia irresistible. «Estoy durmiendo un siglo», se oyó decir dentro de un sueño donde una lancha a motor cortaba el lago con una estela llevándolo a Solentiname a visitar a Agudelo.

El sol fue ganando espacio sobre la pared, atravesó el polen desprendido por la materia de la noche, y sin pausas avanzó hasta bañarle la frente.

Fue entonces cuando oyó la voz de Vicky. Se sentó en la cama, los ojos desmesurados, la garganta áspera.

La muchacha estaba desnuda en el dintel, y sus labios aún vibraban con la segunda sílaba de su nombre. Se le vinieron imágenes a la cabeza. Se dijo es un sol mate, es mi árbol, es el fruto, son todas las nubes, son todos los pájaros, es la piel como inundación, es su saliva una savia, es su sexo tragándome, nombrándome por primera vez Leonel, es cada poro de su cuello labrado en el sol, es esta fiebre de Nicaragua, es mi casa, mi aventura, es el desquicio, la locura, la cascada pequeña y vegetal en el marco de la puerta, son mis libros, es mi morral lleno de poesías, es la compañera, es esta erección furibunda, escandalosa visita, son mis veleros que zarpan, es un torbellino al fondo del lago y una calma en el océano, mi grito tramado de insomnios, mi arma en el estante, mi ortografía de colegial, las palabras que me nadan en la boca como una guayabera, es Vicky leve, su plumaje entero, mi Dios, sus tetas milagrosas, su sonrisa, su luz envolviéndola a ella misma como la aureola de los pintores de Masaya enciende a la virgen.

—Venite —le dijo ella.

El muchacho se sorprendió en un paréntesis formal. De pronto su desnudez le había recordado su condición de visita, de alojado respetable.

—¿Dónde están tus papis? —se oyó decir.

Vicky indicó la calle con un gesto.

—Partieron a declarar a la cárcel.

Leonel se mesó el cabello una y otra vez, haciendo de su garra una trilladora que lo arañara y que lo despertara de esas visiones.

—¿Y vos?

La chica se puso la uña del anular sobre los labios y extrajo la punta de la lengua entre sus dientes pequeños, al decirle:

—Yo te preparé la ducha para que te bañés conmigo.

Leonel, aún sentado en la cama, se desabrochó los botones de la blusa, y bajando la vista hacia su propio pecho, sonrió con modestia.

Créditos

El capítulo VI se inspira en un motivo de Ariel Dorfman.

El capítulo XIX lo escribió Iván Guevara.

El capítulo XXV es de Pablo Neruda.

BESTSELLER

Los pilares de la Tierra, Ken Follett
Alto riesgo, Ken Follett
La casa de los espíritus, Isabel Allende
Baudolino, Umberto Eco
Armonía rota, Barbara Wood
Sushi para principiantes, Marian Keyes
Yo, puta, Isabel Pisano
El Salón de Ámbar, Matilde Asensi
Iacobus, Matilde Asensi
Como agua para chocolate, Laura Esquivel
Tan veloz como el deseo, Laura Esquivel
El amante diabólico, Victoria Holt
Hielo ardiente, Clive Cussler
A tiro, Philip Kerr
Las chicas buenas van al cielo y las malas a todas partes, Ute Herhardt
Claire se queda sola, Marian Keyes
La soñadora, Gustavo Martín Garzo
Fuerzas irresistibles, Danielle Steel
Casa negra, Stephen King y Peter Straub
El resplandor, Stephen King
Corazones en la Atlántida, Stephen King
IT, Stephen King
Dioses menores, Terry Pratchett
Brujerías, Terry Pratchett
Picasso, mi abuelo, Marina Picasso
Saltamontes, Barbara Vine
Chocolat, Joanne Harris
Muerte en Cape Cod, Mary Higgins Clark

DEBOLS!LLO

CONTEMPORÁNEA

Cien años de soledad, Gabriel García Márquez

El otoño del patriarca, Gabriel García Márquez

Crónica de una muerte anunciada, Gabriel García Márquez

El amor en los tiempos del cólera, Gabriel García Márquez

El coronel no tiene quien le escriba, Gabriel García Márquez

Los funerales de la Mamá Grande, Gabriel García Márquez

El general en su laberinto, Gabriel García Márquez

Increíble y triste historia de la cándida Eréndira y de su abuela desalmada, Gabriel García Márquez

La mala hora, Gabriel García Márquez

Ojos de perro azul, Gabriel García Márquez

Cuentos de Eva Luna, Isabel Allende

Diario de Ana Frank, Ana Frank

La isla del día de antes, Umberto Eco

India, V.S. Naipaul

Una casa para el señor Biswas, V.S. Naipaul

El inmoralista, André Gide

El maestro y Margarita, Mijaíl Bulgákov

Por la parte de Swann, Marcel Proust

Encerrados con un solo juguete, Juan Marsé

Esperando a los bárbaros, J. M. Coetzee

Caballería Roja/Diario de 1920, Isaak Bábel

DEBOLS!LLO

ENSAYO

La Galaxia Internet, Manuel Castells

Fast Food, Eric Schlosser

Articulos y opiniones, Günter Grass

Anatomía de la agresividad humana, Adolf Tobeña

Vivan los animales, Jesús Mosterín

Cuaderno amarillo, Salvador Pániker

Fuera de lugar, Edward Said

Las batallas legendarias y el oficio de la guerra,
Margarita Torres

Pequeña filosofía para no filósofos, Albert Jacquard

Tras las claves de Melquíades, Eligio García Márquez

Pájaro que ensucia su propio nido, Juan Goytisolo

El mundo en un click, Andrew Shapiro

Felipe V y los españoles, Ricardo García Cárcel

¿Tenían ombligo Adán y Eva?, Martin Gardner

Comprender el arte moderno, Victoria Combalía

El mito de la educación, Judith Rich Harris

La conquista de la felicidad, Bertrand Russell

DEBOLS!LLO

AUTOAYUDA

Caminos de sabiduría, Wayne W. Dyer

Tus zonas sagradas, Wayne W. Dyer

La undécima revelación, James Redfield

Todo lo que necesitas saber para educar a tus hijos, Bernabé Tierno Jiménez

Soy mujer y pretendo trabajar, Lídia Guinart

Cómo decir no sin sentirse culpable, Patti Breitman y Connie Hatch

Educar adolescentes con inteligencia emocional, Varios autores

Padres a distancia, William Klatte

Hambre a la moda, Mary Pipher

El vendedor más grande del mundo, Og Mandino

El vendedor más grande del mundo II, Og Mandino

DEBOLS!LLO

Clásicos

Don Quijote de la Mancha, vols. I y II, Miguel de Cervantes. *Edición de Florencio Sevilla Arroyo*

Poema de Mio Cid, *Edición de Eukene Lacarra Lanz*

El conde Lucanor, Don Juan Manuel. *Edición de José Manuel Fradejas Rueda*

La Celestina, Fernando de Rojas. *Edición de Santiago López Ríos*

Poesía, Jorge Manrique. *Edición de Giovanni Caravaggi*

Poesía, Garcilaso de la Vega. *Edición de José Rico Verdú*

Lazarillo de Tormes. *Edición de Florencio Sevilla Arroyo*

La vida del Buscón, Francisco de Quevedo. *Edición de Edmond Cros*

Peribáñez y el Comendador de Ocaña, Lope de Vega. *Edición de José María Díez Borque*

La vida es un sueño, Pedro Calderón de la Barca. *Edición de Enrique Rull*

Don Juan Tenorio, José Zorrilla. *Edición de Jean-Louis Picoche*

Rimas, Gustavo Adolfo Bécquer. *Edición de Enrique Rull*

DEBOLS!LLO